Australië op blote voeten

Marlo Morgan

Australië op blote voeten

A.W. Bruna Uitgevers B.V., Utrecht

Oorspronkelijke titel
Mutant Message Down Under
© 1995 by Marlo Morgan
All rights reserved
Published by arrangement with Harper Collins Publishers, Inc.
Vertaling
Rie Neehus
© 1995 A.W. Bruna Uitgevers B.V., Utrecht

Dertiende druk, januari 1996

ISBN 90 229 8210 6
NUGI 380

Dit boek is opgedragen aan mijn moeder,
mijn kinderen, Carri en Steve,
mijn schoonzoon, Greg,
mijn kleinzoons, Sean Janning en Michael Lee,
en bovenal aan mijn vader.

Woordenlijst

aboriginal	oerbewoner, oorspronkelijke bewoner van het Australische continent
mutant	door mutatie ontstaan individu, aboriginals noemen westerlingen mutanten
walkabout	periode waarin de aboriginals door het land trekken, voor onbepaalde tijd en (meestal) met een onbekende bestemming
outback	het onherbergzame binnenland van Australië
spinifex	soort helmgras
billabong	plaats waar water wordt gevonden
kookaburra	inheemse vogel
wiltja	tijdelijk afdak van bladeren en takken
yam	broodvrucht
didjeridoo	inheems, op fluit lijkend muziekinstrument

Inhoud

De mens heeft het web des levens niet geweven,
hij is niet meer dan een draadje ervan.
Alles wat hij het web aandoet, doet hij zichzelf aan.

Amerikaans opperhoofd Seattle

De enige manier om een proef af te leggen is die te
ondergaan. Het is onvermijdelijk.

Stamoudste Zwarte Koningszwaan

Pas nadat de laatste boom is omgehakt.
Pas nadat de laatste rivier is vergiftigd.
Pas nadat de laatste vis is gevangen.
Pas dan zul je erachter komen dat je geld niet kunt eten.

Wijsheid van de Cree-Indianen

Met lege handen geboren,
met lege handen gestorven.
Ik heb de volheid van het leven aanschouwd.
Met lege handen.

Marlo Morgan

Dankbetuigingen

Dit boek zou er niet zijn gekomen zonder de hulp van twee bijzondere mensen. Twee mensen die me onder hun beschermende vleugels hebben genomen en me geduldig hebben aangemoedigd om te vliegen, om op grote hoogte te zweven. Mijn bijzondere dank gaat uit naar Jeannette Grimme en Carri Garrison die onpeilbaar diep met me zijn meegegaan op deze literaire reis.

Dank aan de schrijver Stephen Mitchell voor zijn betrokkenheid en aanmoediging om door te schrijven: 'Misschien heb ik hun woorden niet altijd vertaald, mijn bedoeling is altijd geweest te vertalen wat in hun gedachten leeft.'

Dank aan Og Mandino, Dr. Wayne Dyer en Dr. Elisabeth Kübler-Ross, allen geslaagde auteurs/docenten en echte mensen.

Dank aan de jonge Marshall Ball, die zijn leven heeft gewijd aan het leraarschap.

Verder gaat mijn dank uit naar tante Nola, Dr. Edward J. Stegman, Georgia Lewis, Peg Smith, Dorothea Wolcott, Jenny Decker, Jana Hawkins, Sandford Dean, Nancy Hoflund, Hanley Thomas, Eerw. Marilyn Reiger, Eerw. Richard Reiger, Walt Bodine, Jack Small, Jeff Small en Wayne Baker van Arrow Printing, Stephanie Gunning en Susan Moldow van Harper-Collins, Robyn Bem, Candice Fuhrman, en in het bijzonder naar de president van MM Co., Steve Morgan.

Dit boek is een fictief werk, geïnspireerd door mijn ervaringen in Australië. Het zou zich ook kunnen afspelen in Afrika of Zuid-Amerika, of overal waar de ware betekenis van beschaving nog levend is. Het is aan de lezer om zijn of haar boodschap via mijn verhaal te ontvangen.

M.M.

Van de auteur aan de lezer

Dit boek is achteraf geschreven en is ingegeven door eigen on-
dervindingen. Zoals u zult begrijpen, had ik geen aanteken-
boekje bij de hand. Het boek wordt verkocht als een roman
om de kleine stam oerbewoners te beschermen tegen juridi-
sche verwikkelingen. Ik heb details weggelaten om vrienden
die onbekend wensen te blijven, tegemoet te komen en om de
geheime locatie van onze gewijde plaats veilig te stellen.
Ik heb u een gang naar de openbare bibliotheek bespaard
door belangrijke historische informatie in het boek op te nemen. Ik kan u ook de reis naar Australië besparen. De situatie
waarin aboriginals in onze moderne tijd leven, kunt u vinden
in elke Westeuropese stad: mensen met een donkere huidkleur die in hun eigen wijk leven, meer dan de helft van hen
met een bijstandsuitkering. Degenen die werk hebben, verrichten de eenvoudigste arbeid die er te doen valt. Hun cultuur
lijkt verloren gegaan. Evenals de Amerikaanse Indianen zijn
de aboriginals gedwongen op een bepaalde plek te wonen en
al generaties lang is het hun verboden hun heilige riten uit te
voeren.
Waar ik u niet tegen in bescherming kan nemen, is hun boodschap aan de mutanten!
Amerika, Afrika en Australië schijnen te proberen de onder-

linge relaties tussen de rassen te verbeteren. Maar ergens in het dorre hart van de *outback* is nog een trage, gestadige, oeroude harteklop over, een unieke groep mensen, die zich niet bezighoudt met racisme, maar die zich alleen bekommert om andere mensen en het milieu. Het begrijpen van die harteklop wil zeggen: beter begrijpen wat mens-zijn betekent.

Dit manuscript was een onopvallend, in eigen beheer uitgegeven werk dat controversieel werd. Nadat u het hebt gelezen, zijn er verschillende conclusies mogelijk. Het zou erop kunnen lijken dat de man die ik aanduid als mijn tolk, zich de afgelopen jaren niet heeft gehouden aan de wetten en voorschriften van de regering: volkstelling, belastingen, stemplicht, gebruik van land, vergunningen voor mijnbouw, aangiften bij de burgerlijke stand en dergelijke. Hij heeft wellicht ook andere stamgenoten aangezet tot niet-nakoming van deze regels. Men heeft mij gevraagd deze man in de openbaarheid te brengen, en met een groep de woestijn in te trekken langs de route die wij hebben gelopen. Ik heb geweigerd. Men zou dus ook kunnen concluderen dat ik òf schuldig ben aan het helpen van deze mensen om zich niet aan de wet te houden, òf, omdat ik niet voor de dag ben gekomen met de leden van de stam, een leugenaar ben en dat dat volk niet bestaat.

Mijn antwoord is: ik spreek niet voor de Australische aboriginals. Ik spreek slechts voor een klein volk, diep in de outback, dat wordt aangeduid als het Wilde Volk of De Ouden. Ik heb hen weer bezocht en ben vlak voor het einde van het jaar 1993 naar Amerika teruggekeerd. Ik heb opnieuw hun zegen en hun goedkeuring gekregen voor de wijze waarop ik deze opdracht vervul.

Tot u, lezer, zou ik willen zeggen: het blijkt dat sommige mensen alleen maar beziggehouden willen worden. Dus als u een van die mensen bent: alstublieft, lees, geniet ervan en wandel weg, zoals u dat na iedere goede voorstelling zou doen. Voor u is het pure fictie en u zult niet teleurgesteld worden, u krijgt waar voor uw geld.

Als u daarentegen iemand bent die de boodschap verstaat, dan zal deze luid en duidelijk bij u overkomen. U zult het voelen in uw innerlijk, in uw hart, uw hoofd en het merg van uw beenderen. Want u zou het net zo goed zelf geweest kunnen zijn die werd uitgekozen voor deze *walkabout* en geloof me, ik heb vele malen gewenst dat het zo was.

We hebben allemaal onze ervaringen in onbekende gebieden die we moeten doormaken; de mijne waren toevallig letterlijk in het Onbekende. Maar ik deed wat u zou hebben gedaan, mèt of zonder schoenen.

Moge dit volk uw hart raken, terwijl uw vingers deze bladzijden omslaan. Mijn woorden zijn in het Engels, maar hun waarheid is geluidloos.

Mijn voorstel is dat u de boodschap proeft, geniet van datgene wat goed voor u is, en de rest uitspuwt. Dat is tenslotte de wet van het heelal.

Volgens de traditie van het woestijnvolk heb ik een nieuwe naam aangenomen om een nieuw talent aan te duiden.

Hoogachtend,

Reizende Tong

I

Eregast

Er had een waarschuwing moeten zijn maar ik merkte niets. De gebeurtenissen waren al op gang gebracht. De roofdieren zaten, kilometers ver weg, op hun prooi te wachten. Aan de bagage die ik een uur tevoren had uitgepakt, zou morgen een label 'niet afgehaald' worden gehangen en ze zou maandenlang worden opgeslagen. Ik zou gewoon nòg zo'n Amerikaan zijn die in het buitenland verdween.

Het was een drukkende ochtend in oktober. Ik stond voor het Australische vijf-sterrenhotel en tuurde de oprit af, op zoek naar een onbekende koerier. Mijn hart ontving geen enkele waarschuwing, integendeel, het zong. Ik voelde me zo goed, zo opgewonden, zo succesvol en op alles voorbereid. Inwendig wist ik het: 'Vandaag is het mijn dag.'

Een jeep zonder kap kwam aanrijden over de rondlopende toegangsweg. Ik herinner me dat ik de banden hoorde sissen op het gloeiend hete wegdek. De fijne nevel die over de helderrode bloemen langs de weg werd gesproeid, viel op het roestige metaal. De jeep stopte en de chauffeur, een aboriginal van een jaar of dertig, keek naar me. 'Kom,' wenkte zijn zwarte hand. Hij zocht een blonde Amerikaanse en ik verwachtte te worden opgehaald om een stambijeenkomst van oerbewoners mee te maken. Onder de kritische, blauwe ogen en de afkeurende houding van de geüniformeerde portier kwamen we stilzwijgend overeen dat we een afspraak hadden.

Nog voordat ik op mijn hoge hakken onhandig in de terreinwagen klom, was het overduidelijk dat ik te netjes gekleed was. De jonge chauffeur droeg een korte broek en een goor wit T-shirt; zijn blote voeten staken in tennisschoenen. Toen me werd meegedeeld dat er voor vervoer naar de bijeenkomst zou worden gezorgd, had ik aangenomen dat het een gewone auto zou zijn, misschien wel een Holden, de trots van de Australische auto-industrie. Ik had er nooit op gerekend dat hij met een open vervoermiddel zou komen aanzetten. In ieder geval was ik liever te netjes dan te eenvoudig gekleed om naar de vergadering te gaan en naar mijn erelunch.

Ik stelde me voor. Hij knikte alleen maar en deed alsof hij al precies wist wie ik was. De portier bekeek ons met gefronste wenkbrauwen toen we hem passeerden. We reden door de straten van de kustplaats langs rijen huizen met een veranda ervoor, ijssalons annex snackbars en cementen speelplaatsen zonder gras. Toen we over een rotonde scheurden waar zes wegen op uitkwamen, hield ik de handgreep van het portier stevig vast. Eenmaal in de juiste rijrichting gekomen, hadden we de zon in de rug. Mijn pas gekochte, perzikkleurige mantelpakje met bijpassende zijden blouse voelde nu al onbehaaglijk warm aan. Ik dacht dat het gebouw aan de andere kant van de stad zou zijn, maar dat had ik mis. We reden de hoofdweg op die evenwijdig aan de zee loopt. Deze bijeenkomst was blijkbaar buiten de stad, verder weg van het hotel dan ik had verwacht. Ik trok mijn jasje uit en bedacht dat het dom was geweest om niet meer vragen te stellen. Gelukkig had ik een borstel in mijn tas en mijn geblondeerde haar dat tot op mijn schouders reikte, was opgestoken in een modieuze wrong.

Vanaf het moment dat ik het telefoontje kreeg, was mijn nieuwsgierigheid niet verminderd, hoewel ik niet kon zeggen dat ik echt verrast was toen er gebeld werd. Tenslotte had ik andere openlijke dankbetuigingen ontvangen en dit project was een groot succes geweest. Mijn werk met in de stad wonende, halfbloed aboriginal volwassenen die openlijk zelfmoordneigingen aan den dag hadden gelegd, en voor wie ik een doel in het leven en financieel succes had gecreëerd, moest vroeg of laat worden opgemerkt. Wat me wel verbaasde, was dat de stam waarvan de uitnodiging afkomstig was, op 3200 kilometer afstand aan de andere kant van het continent leefde, maar ik wist heel weinig van de oerbewoners van Australië, afgezien van wat losse opmerkingen die ik zo nu en dan had opgevangen. Ik wist niet of ze onderling sterk samenhingen of dat er, zoals bij de oorspronkelijke bewoners van Noord-Amerika, grote verschillen tussen de stammen bestonden en ze verschillende talen spraken.

Wat ik me werkelijk afvroeg, was wat ik zou krijgen: weer een houten wandbord met inscriptie dat ik naar Kansas City zou sturen om het daar te laten opslaan, of misschien alleen maar een boeket? Nee, geen bloemen bij deze temperatuur van 38 graden Celsius. Die zouden de terugreis niet overleven. De chauffeur was, zoals afgesproken, precies om twaalf uur 's middags gekomen. Dus ik wist dat het een lunchbijeenkomst zou zijn en ik vroeg me af wat er tijdens een stambijeenkomst geserveerd zou worden. Ik hoopte dat het geen traditioneel Australisch eten zou zijn, verzorgd door een cateringbedrijf. Misschien hadden ze wel een lopend buffet, dan zou ik voor het eerst echte aboriginalgerechten kunnen proeven. Ik hoopte dat ik een tafel zou aantreffen die vol stond met kleurige schotels.

Dit ging een geweldige, unieke ervaring worden en ik verheugde me op een gedenkwaardige dag. In de handtas die ik speciaal voor vandaag had gekocht, zaten een 35 mm camera en een kleine cassetterecorder. Ze hadden niets gezegd over microfoons of schijnwerpers of dat ik een toespraak zou moeten houden, maar ik was in ieder geval voorbereid. Vooruitdenken was een van mijn goede eigenschappen. Tenslotte was ik nu vijftig jaar en ik had genoeg problemen en teleurstellingen in mijn leven meegemaakt, zodat ik altijd alternatieve plannen maakte voor onvoorziene omstandigheden. Mijn vrienden merkten vaak op dat ik zo onafhankelijk was. Ik hoor het ze nog zeggen: 'Ze heeft altijd Plan B achter de hand.'

Een snelwegtrein (de Australische uitdrukking voor een groep trucks met grote aanhangers die in konvooi rijden) passeerde ons in tegenovergestelde richting. Hij kwam plotseling opdoemen uit wazige hittegolven, midden op de weg. Ik werd opgeschrikt uit mijn gedachten, toen de chauffeur een ruk aan het stuur gaf en we van de snelweg een hobbelige zandweg opreden. Kilometers lang werden we gevolgd door een rode stofwolk. Ergens onderweg verdwenen de twee sporen en het drong tot me door dat er geen weg meer voor ons lag. We reden zigzaggend om bosjes heen en hotsten over de oneffen, zandige woestijnbodem. Verschillende malen probeerde ik een gesprek te beginnen, maar de herrie van de open auto, het geschraap langs de onderkant van het chassis en de op- en neergaande beweging van mijn lichaam maakten dat onmogelijk. Ik moest mijn kaken stevig op elkaar houden om niet op mijn tong te bijten. De chauffeur had kennelijk geen behoefte aan een praatje.

Mijn hoofd schudde heen en weer als de kop van een lappenpop en ik kreeg het steeds warmer. Ik had een gevoel alsof mijn panty aan mijn voeten vastgesmolten was, maar durfde geen schoen uit te trekken uit angst dat die naar buiten zou huppelen en terecht zou komen in de koperkleurige vlakte die ons, zo ver het oog reikte, omringde. Het leek me hoogst onwaarschijnlijk dat de zwijgende chauffeur ervoor zou stoppen. Telkens wanneer mijn zonnebril besloeg, veegde ik hem af aan de rand van mijn onderjurk. Die armbewegingen zetten de transpiratiesluizen wijd open. Ik voelde mijn make-up oplossen en stelde me voor dat de roze tint die ik op mijn wangen had aangebracht, nu in rode straaltjes langs mijn hals liep. Ze zouden me twintig minuten de tijd moeten geven om me weer toonbaar te maken voor het begin van het officiële gedeelte, daar zou ik op staan!

Een blik op mijn horloge vertelde me dat er twee uren waren verstreken sinds we de woestijn in waren gereden. Ik voelde me warmer en onbehaaglijker dan ik in jaren was geweest. De chauffeur bleef zwijgen en uitte alleen zo nu en dan een soort gebrom. Opeens drong tot me door dat hij zich niet had voorgesteld. Misschien zat ik wel in de verkeerde auto! Nee, dat was onzin. Ik kon er niet uit en hij leek ervan overtuigd dat ik zijn passagier was.

Vier uur later stopten we eindelijk bij een gebouwtje, opgetrokken uit ijzeren golfplaat. Ervoor brandde een klein, smeulend vuur en twee vrouwen stonden op bij onze nadering. Ze waren aboriginals van middelbare leeftijd; ze waren klein, schaars gekleed en toonden een warme glimlach ter verwelkoming. De een droeg een hoofdband van waaronder het dikke krullende zwarte haar in alle richtingen ontsnapte. Ze leken beiden slank en atletisch, met ronde, volle gezichten waarin heldere bruine ogen straalden. Toen ik uit de jeep stapte, zei mijn chauffeur: 'Tussen twee haakjes, ik ben de enige die Engels spreekt. Ik zal uw tolk zijn, uw vriend.'

Geweldig, dacht ik bij mezelf. Ik heb vijftienhonderd gulden uitgegeven aan een vliegreis, een hotelkamer en nieuwe kleren voor deze kennismaking met oorspronkelijke bewoners van Australië en nu kom ik tot de ontdekking dat ze niet eens Engels spreken, laat staan op de hoogte zijn van de laatste mode. Maar goed, ik was hier nu eenmaal, dus kon ik maar het beste proberen me aan te passen, hoewel ik diep in mijn hart wist dat dat erg moeilijk zou zijn.

De vrouwen spraken in korte, afgebeten en vreemde klanken die niet op zinnen leken, maar alleen op afzonderlijke woorden. Mijn tolk richtte zich tot mij en legde uit dat ik, om toestemming te krijgen de bijeenkomst bij te wonen, eerst gereinigd diende te worden. Ik begreep niet wat hij bedoelde. Het was waar dat ik bedekt was met dikke lagen stof en het erg warm had na de rit, maar dat scheen niet de betekenis te zijn.

Hij overhandigde me een lap stof die ik openvouwde om tot de ontdekking te komen dat het een soort voddige omslagdoek was. Er werd me gezegd dat ik mijn kleren uit moest doen en dat ding aan moest trekken. 'Wat?' vroeg ik ongelovig. 'Meen je dat?' Ernstig herhaalde hij de instructies. Ik keek rond naar een plaats om me te verkleden; er was niets. Wat kon ik doen? Ik was van te ver gekomen en had te veel ongemak verdragen om op dit punt voor de eer te bedanken. De jongeman wandelde weg. Och, wat zou het ook, dacht ik. Het zal in elk geval koeler zijn dan mijn kleren. Daarom trok ik zo discreet mogelijk mijn smoezelige nieuwe kleren uit, legde ze netjes opgevouwen op een stapel en sloeg het inheemse geval om. Mijn spullen legde ik op de dichtstbijzijnde steen, die even tevoren nog had gediend als zitplaats voor de wachtende vrouwen. Ik voelde me opgelaten in het kleurloze vod en had er spijt van dat ik zoveel geld had uitgegeven aan nieuwe kleren om een goede indruk te maken.

Daarna verscheen de jongeman weer. Hij had zich eveneens verkleed. Nu stond hij bijna naakt voor me, met alleen een doek om zich heen, als een soort zwembroek. Hij was op blote voeten, evenals de vrouwen bij het vuur. Hij kwam met nog meer instructies. Alles moest uit: schoenen, panty, onderkleding en al mijn sieraden, zelfs de haarspeldjes. Mijn nieuwsgierigheid verdween langzaam om plaats te maken voor bezorgdheid, maar ik deed wat me gezegd werd.

Ik weet nog dat ik mijn sieraden in de punt van een schoen stopte en ook dat ik iets deed wat vrouwen van nature schijnen te doen, hoewel ik zeker weet dat het ons niet geleerd is: ik stopte mijn ondergoed in het midden van de stapel kleren.

Er steeg een deken van dikke, grijze rook op uit de smeulende kolen toen er verse, groene takken op werden gegooid. De vrouw met de hoofdband pakte iets wat op de vleugel van een grote zwarte havik leek en vouwde die open tot een waaier. Ze wapperde ermee voor me heen en weer. De rook wervelde omhoog en benam me bijna de adem. Vervolgens beschreef ze een cirkel met haar wijsvinger, hetgeen volgens mij 'Draai je om' betekende. Het rookritueel werd achter me herhaald. Daarna moest ik over het vuur heen stappen, dwars door de rook. Ten slotte werd me duidelijk gemaakt dat ik gereinigd was en toestemming had om de metalen hut binnen te gaan. Terwijl mijn gebronsde mannelijke begeleider met me naar de ingang liep, zag ik dat dezelfde vrouw mijn hele stapel bezittingen oppakte. Ze hield alles boven de vlammen, keek naar me, glimlachte en terwijl onze ogen elkaar bleven vasthouden, liet ze de schatten los. Al mijn eigendommen vielen in het vuur! Toen gebaarde ze dat ik nog eens over het vuur en door de rook moest stappen.

Een ogenblik lang was ik als verdoofd; daarna slaakte ik een diepe zucht. Ik weet niet waarom ik niet protesteerde of erop af vloog om alles te redden. Maar ik deed het niet. De gezichtsuitdrukking van de vrouw duidde erop dat haar handeling niet boosaardig was. Het werd gedaan op de manier waarop men een vreemdeling een uniek bewijs van gastvrijheid schenkt. Ze weet gewoon niet beter, dacht ik. Ze begrijpt niets van credit cards of belangrijke papieren. Dankbaar herinnerde ik me dat ik mijn vliegticket in het hotel had gelaten. Ik wist dat ik daar ook andere kleren had. Ik zou het op de een of andere manier wel klaarspelen om, gekleed in deze lap, door de lobby te wandelen wanneer het zover was. Ook weet ik nog dat ik bij mezelf dacht: Marlo, je bent een flexibel mens. Dit is niet de moeite waard om er een maagzweer van te krijgen. Wel bedacht ik dat ik later zou proberen om een van mijn ringen uit de as te zoeken. Hopelijk zou het vuur doven en afkoelen voor we met de jeep teruggingen naar de stad.

Dat zou echter niet gebeuren.

Pas later zou ik de symboliek begrijpen van het afleggen van mijn waardevolle en volgens mij zeer noodzakelijke sieraden. Ik moest nog leren dat tijd voor deze mensen absoluut niets van doen heeft met de wijzers op het gouden, met diamanten be-

zette horloge dat nu voor eeuwig aan de aarde was toever-
trouwd.

Nog later zou ik begrijpen dat het loslaten van gehechtheid
aan voorwerpen en bepaalde overtuigingen al onuitwisbaar
was vastgelegd als een zeer noodzakelijke stap in mijn proces
op weg naar bestaan.

2

Op de proef gesteld

We gingen de open kant van de hut binnen, die drie wanden had en een dak. Er was geen echte deur en ramen waren ook niet nodig. Het bouwsel was simpelweg neergezet om schaduw te geven, of misschien om als onderkomen voor schapen te dienen. Binnen werd de hitte verhevigd door weer een vuur, in een kring van stenen. Niets wees erop dat de hut dagelijks door mensen werd gebruikt: er waren geen stoelen, er was geen ventilator en er lag geen vloer in. Ook elektriciteit was er niet. Alleen maar golfplaat, moeizaam bijeengehouden door een paar oude, vermolmde planken.
Ondanks het felle licht waaraan ik de afgelopen vier uur blootgesteld was geweest, wenden mijn ogen snel aan het schemerdonker en de rook. Er was een groep volwassen aboriginals binnen, sommigen zaten, anderen stonden op het zand. De mannen droegen kleurige, versierde hoofdbanden en rond hun bovenarmen en enkels waren veren bevestigd. Ze waren gekleed in een zelfde lendendoek als de chauffeur. Hij was niet beschilderd, maar de anderen hadden figuren op hun gezicht geverfd en over de lengte van hun armen en benen. Er was witte verf gebruikt om stippen, strepen en ingewikkelde figuren te maken. Tekeningen van hagedissen sierden hun armen, terwijl slangen, kangoeroes en vogels op hun benen en

rug prijkten.

De vrouwen zagen er minder feestelijk uit. Ze leken ongeveer even groot als ik: 1.65 meter. De meesten waren ouder, hun huid had de kleur van romige melkchocolade en leek zacht en gezond. Ze hadden vrijwel allemaal kroezig haar dat dicht tegen hun schedel lag. Degenen die iets langer haar leken te hebben, droegen een smalle band, die kruiselings om hun hoofd was gewikkeld en de krullen stevig in bedwang hield. Een heel oude, witharige vrouw vlak bij de ingang had een slinger van bloemen om haar hals en enkels geschilderd. Het zag er artistiek uit: gedetailleerde bladeren en meeldraden in het midden van elke bloem. Ze hadden allemaal twee lappen stof om zich heen gewikkeld of een omslagdoek zoals ze mij hadden gegeven. Ik zag geen baby's of jonge kinderen, alleen een jongen in de tienerleeftijd.

Mijn ogen werden getrokken naar de fraaist uitgedoste persoon in de hut, een man wiens zwarte haar grijze plekken vertoonde. Zijn keurige baard accentueerde de kracht en de waardigheid van zijn gezicht. Hij droeg een opvallend grote hoofdtooi van bonte papegaaieveren en hij had ook veren rond zijn armen en enkels. Er waren verscheidene voorwerpen om zijn middel gebonden en op zijn borst hing een ronde plaat, versierd met een ingewikkeld patroon van stenen en zaden. Verscheidene vrouwen hadden soortgelijke, kleinere uitvoeringen als halssnoer.

Hij glimlachte en stak beide handen naar me uit. Toen ik in zijn zwarte fluwelen ogen keek, kreeg ik een gevoel van volkomen vrede en veiligheid. Ik geloof dat hij het vriendelijkste gezicht had dat ik ooit had gezien.

Mijn gevoelens waren echter tegenstrijdig. De beschilderde gezichten en de mannen met messcherpe speren achteraan in de hut wakkerden mijn toenemende angstgevoelens nog verder aan. Toch keek iedereen vriendelijk en de atmosfeer scheen rust en vriendschap uit te stralen. Ik probeerde de emotionele middenweg te vinden door mijn eigen stommiteit te beoordelen. Dit leek in de verste verte niet op wat ik had verwacht. Zelfs in mijn dromen zou ik nooit zo'n dreigende atmosfeer te midden van zoveel ogenschijnlijk aardige mensen hebben kunnen bedenken. Was mijn camera nu maar niet in vlammen opgegaan. Ik had zulke mooie foto's kunnen maken om in een album te plakken of om als dia's te laten zien aan een toekomstig geboeid gehoor van familieleden of vrienden. Mijn gedachten keerden weer terug naar het vuur. Wat was er nog meer verbrand? Ik huiverde bij het idee: mijn internationaal rijbewijs, (oranje) Australisch papiergeld, het biljet van honderd dollar dat ik jarenlang in een geheim vakje van mijn portefeuille had bewaard en dat nog dateerde uit de tijd dat ik bij de telefoonmaatschappij werkte, een favoriete lippenstift die niet in dit land te koop was, mijn horloge met diamanten en de ring die tante Nola me op mijn achttiende verjaardag had gegeven, alles was voedsel voor het vuur geworden.

Mijn bezorgde gedachtengang werd onderbroken, toen ik aan de stam werd voorgesteld door de tolk, die Ooota bleek te heten. Hij sprak het uit met een langgerekte 'Ooo', bijna als 'Oooooo', en eindigde abrupt met 'ta'.

De zachtaardige man met de ongelooflijke ogen werd door de aboriginals aangeduid als Stamoudste. Hij was niet de oudste man in de groep, maar de aanduiding lijkt meer op ons begrip opperhoofd.

Een vrouw begon met stokjes tegen elkaar te slaan, weldra gevolgd door een tweede en een derde. De speerdragers begonnen met de lange schachten in het zand te bonken en weer anderen klapten in hun handen. De hele groep begon ritmisch te zingen. Met een handgebaar werd ik uitgenodigd om op de vloer van aangestampt zand te gaan zitten. De groep begon met een *corroboree*, een feest. Wanneer een lied was afgelopen, volgde er weer een. Ik had nog niet gezien dat sommigen enkelbanden om hadden, gemaakt van grote peulen, maar nu viel het op omdat de gedroogde zaden die erin zaten, een ratelend geluid maakten. Op een bepaald moment danste er een enkele vrouw, daarna een hele groep. Soms dansten alleen de mannen, dan weer voegden de vrouwen zich bij hen. Ze beeldden hun geschiedenis voor me uit. Eindelijk nam het tempo van de muziek af, de bewegingen werden veel trager. Toen hield alle beweging op. Alleen een heel sterk ritme, dat synchroon leek met het kloppen van mijn hart, bleef hoorbaar. Alle mensen zwegen en stonden stil. Ze keken naar hun leider. Hij stond op en kwam naar me toe lopen. Glimlachend bleef hij voor me staan. Er was een onbeschrijflijk gevoel van verbondenheid. Ik had het intuïtieve gevoel dat we oude vrienden waren, maar dat was natuurlijk niet waar. Ik denk dat zijn aanwezigheid ervoor zorgde dat ik me op mijn gemak en geaccepteerd voelde.

De Oudste nam een lange koker, gemaakt van de huid van een vogelbekdier, die om zijn middel hing en schudde die, terwijl hij hem omhoog hield. Daarna maakte hij het uiteinde open en gooide de inhoud op de grond. Om me heen lagen stenen, botjes, tanden, veren en ronde stukjes leer. Enkele stamleden hielpen om de plek aan te geven waar elk voorwerp terecht was gekomen. Ze gebruikten daarbij heel handig hun teen als een vinger om tekens op de aarden vloer te maken. De Oudste zei iets en gaf me de koker. Ik hield hem omhoog en schudde een paar maal. Daarna herhaalde ik wat hij had gedaan, opende de koker en wierp de inhoud over de grond, waarbij ik absoluut niet vooraf kon bepalen waar elk voorwerp belandde. Twee mannen, die op handen en knieën lagen, gebruikten de voet van een derde om te meten waar mijn voorwerpen waren gevallen, in vergelijking met die van de Oudste. Ik hoorde een paar aboriginals commentaar leveren, maar Ooota vertaalde niet wat er werd gezegd.

Die middag deden we verschillende proeven. Een daarvan, uitgevoerd met een vrucht, was erg indrukwekkend. Het was een vrucht met een dikke schil als die van een banaan, maar in de vorm van een peer. Ik kreeg de lichtgroene vrucht en er werd me gezegd dat ik hem moest vasthouden en zegenen. Wat bedoelden ze daarmee? Ik had er geen idee van, dus in gedachten zei ik eenvoudig: 'Lieve Heer, zegen alstublieft dit voedsel,' en gaf het aan de Oudste terug. Hij nam een mes, sneed de top van de vrucht en begon hem te schillen. De schil viel niet naar buiten als bij een banaan, maar krulde om. Toen dat gebeurde, draaiden alle gezichten in mijn richting. Ik voelde me onbehaaglijk onder die starende ogen. Alsof ze het hadden geoefend, zeiden ze tegelijkertijd: 'Ah'. Dat gebeurde telkens wanneer de Oudste de schil naar beneden trok. Ik wist niet of het een goed of een slecht 'Ah' was, maar ik kreeg de indruk dat de schil gewoonlijk niet omkrulde wanneer erin werd gesneden en dat ik, wat de proef ook mocht inhouden, een goede beurt had gemaakt.

Daarna kwam een jonge vrouw naar me toe met een bord vol stenen. Het was waarschijnlijk eerder een stuk karton dan een bord, maar er lagen zoveel stenen opgestapeld, dat ik het niet precies kon zien. Ooota keek me heel ernstig aan en zei: 'Kies een steen. Kies hem met wijsheid. Hij heeft de kracht om je leven te redden.'

Onmiddellijk kreeg ik kippevel, hoewel mijn ledematen warm en bezweet waren. Mijn ingewanden reageerden op hun eigen manier. De samengetrokken maagspieren gaven te kennen: Wat betekent dat? De kracht om mijn leven te redden!

Ik bekeek de stenen. Ze leken allemaal op elkaar, geen ervan had iets bijzonders. Het waren gewone grijsrode kiezels, ter grootte van een muntstuk. Ik hoopte dat er een bij zou zijn die gloeide of iets speciaals had, maar nee. Dus ik moest doen alsof. Ik keek er gespannen naar, alsof ik ze heel serieus bestudeerde, koos er toen een die bovenop lag en hield die triomfantelijk omhoog. De gezichten om me heen straalden goedkeurend en in stilte verheugde ik me: ik heb de juiste steen!

Wat moest ik er nu mee doen? Ik kon hem niet laten vallen en hun gevoelens kwetsen. Deze steen betekende weliswaar niets voor mij, maar leek belangrijk voor hen. Ik had geen zak om hem in op te bergen, dus stak ik hem maar in de omslagdoek

tussen mijn borsten, dat was de enige plek die ik kon bedenken. Daarna vergat ik prompt de steen in zijn natuurlijke berg-
plaats.

Vervolgens doofden ze het vuur, legden de instrumenten opzij, verzamelden hun schaarse bezittingen en liepen naar buiten, de woestijn in. Hun bruine, bijna naakte lichamen glans-
den in het heldere zonlicht, toen ze zich achter elkaar
opstelden om op weg te gaan. Het zag ernaar uit dat de bijeenkomst voorbij was: geen lunch, geen onderscheiding! Ooota
was de laatste die wegliep. Na enkele meters keerde hij zich
om en zei: 'Kom. We vertrekken nu.'

'Waar gaan we heen?' vroeg ik.

'Op *walkabout*.'

'Waar trekken jullie heen?'

'Dwars door Australië.'

'Geweldig! Hoe lang gaat dat duren?'

'Ongeveer drie volle veranderingen van de maan.'

'Bedoel je dat jullie drie maanden gaan lopen?'

'Ja, drie maanden, min of meer.'

Ik zuchtte diep. Toen zei ik rustig tegen Ooota, die op een afstand bleef staan: 'Hoor eens, dat klinkt leuk, maar weet je, ik
kan niet meegaan. Vandaag is geen goede dag voor mij om te
vertrekken. Ik heb verantwoordelijkheden, verplichtingen, de
huur, de rekeningen van gas en elektriciteit moeten worden
betaald. Ik heb geen voorbereidingen getroffen. Er is tijd nodig om van alles te regelen voor ik mee kan gaan op een trektocht of om te gaan kamperen. Misschien begrijp je het niet:
ik ben geen Australische staatsburger, ik ben Amerikaanse.
Wij kunnen niet zomaar naar het buitenland gaan en daar verdwijnen. Jullie immigratiebeambten zouden erdoor van streek
raken en mijn regering zou er helikopters op uitsturen om me
te zoeken. Misschien zou ik een andere keer, wanneer ik het
lang genoeg van tevoren weet, met jullie mee kunnen gaan,
maar niet vandaag. Ik kan vandaag niet meegaan. Dit is niet de
goede dag ervoor.'

Ooota glimlachte. 'Alles is geregeld. Iedereen die het moet weten, zal het weten. Mijn volk heeft jouw kreet om hulp gehoord. Als iemand van de stam tegen je had gestemd, zouden ze deze tocht niet maken. Je bent getest en geaccepteerd. Hoe buitengewoon groot die eer is, kan ik niet uitleggen. Je moet die ervaring meemaken. Het is het allerbelangrijkste dat je in dit leven zult doen. Je bent geboren om dit te doen. De Goddelijke Eenheid is werkzaam; het is jouw boodschap. Ik kan je niet meer vertellen. Kom, volg ons.' Hij draaide zich om en liep weg.

Daar stond ik en ik tuurde over de Australische woestijn. Die was uitgestrekt, onherbergzaam en toch prachtig, en leek zich eindeloos uit te strekken. De jeep stond er, het sleuteltje stak erin. Maar van welke kant waren we gekomen? Urenlang had ik geen weg gezien, alleen eindeloos gedraai en gekronkel. Ik had geen schoenen, geen water, geen voedsel. In deze tijd van het jaar schommelde de temperatuur in de woestijn tussen de 38 en 54 graden Celsius. Ik was blij dat ze ervóór hadden gestemd om me te accepteren, maar hoe zat het met míjn stem? Het zag ernaar uit dat de beslissing niet bij mij lag.

Ik wilde niet gaan. Ze vroegen me mijn leven in hun handen te leggen. Dit waren mensen die ik nog maar net had ontmoet, met wie ik niet eens kon praten. Wat zou er gebeuren als ik mijn baan kwijtraakte? Het was al niet zo eenvoudig; ik had zelfs geen pensioen in het vooruitzicht! Het was krankzinnig! Natuurlijk kon ik niet gaan!

Ik dacht: ik durf te wedden dat deze bijeenkomst uit twee delen bestaat. Eerst doen ze spelletjes in deze hut, daarna gaan ze de woestijn in en spelen daar nog wat. Ze gaan niet ver; ze hebben geen eten. Het ergste wat er zou kunnen gebeuren, is dat ze van me verwachten dat ik de nacht ergens buiten doorbreng. Maar nee, dacht ik, ze hoeven maar een keer naar me te kijken om te kunnen zien dat ik geen kampeerder ben; ik ben meer het stadse schuimbad-type! Maar, ging ik verder, ik kan het wel als het moet! Ik zal er alleen wel iets van zeggen, want ik heb mijn overnachting in het hotel al betaald. Ik zal ze vertellen dat ze me morgen moeten terugbrengen voordat ik moet uitchecken. Ik ben niet van plan om een extra dag te betalen om deze rare onopgevoede mensen ter wille te zijn.

Ik zag de groep aboriginals steeds verder weglopen en steeds kleiner worden. Er was geen tijd meer om volgens de methode van mijn sterrenbeeld Weegschaal de voors en tegens af te wegen. Hoe langer ik daar bleef staan bedenken wat ik moest doen, des te verder verdwenen ze uit het gezicht. De juiste woorden die ik gezegd heb, liggen nog steeds in mijn hersenen verankerd: 'Okee, God, ik weet dat u een eigenaardig gevoel voor humor hebt, maar hier begrijp ik niets van!'

Met gevoelens die als een pingpongballetje heen en weer schoten tussen vrees, verbazing, ongeloof en pure verdoving, begon ik de stam aboriginals, die zich het Echte Volk noemt, achterna te lopen.

Ik was niet gebonden en gekneveld, maar ik voelde me een gevangene. Het begon erop te lijken dat ik het slachtoffer was van een gedwongen tocht naar het onbekende.

3

Natuurlijk schoeisel

Ik had nog maar een klein eindje gelopen toen ik een stekende pijn in mijn voet voelde, en toen ik omlaag keek, zag ik dat er doorns in mijn huid staken. Ik trok de scherpe punten eruit, maar merkte dat er bij elke stap die ik deed, nieuwe bij kwamen. Daarna probeerde ik op één voet voort te huppelen en tegelijkertijd de pijnlijke doorns uit de andere te trekken. Het moet een komisch gezicht zijn geweest voor de leden van de groep, die af en toe omkeken. Hun glimlach ging over in een brede grijns. Ooota was blijven staan om op me te wachten en zijn gelaatsuitdrukking drukte meer medegevoel uit. Hij zei: 'Vergeet de pijn. Haal de doorns eruit wanneer we ons kamp opslaan. Leer pijn te verdragen. Richt je aandacht op iets anders. Later zullen we je voeten helpen. Je kunt nu niets doen.'

Zijn woorden 'Richt je aandacht op iets anders' hadden voor mij een betekenis. Ik heb gewerkt met honderden mensen die pijn leden, in het bijzonder gedurende de afgelopen vijftien jaar als arts, gespecialiseerd in acupunctuur. In terminale situaties moet de patiënt een keuze maken tussen een verdovend middel dat hem bewusteloos maakt, of de toepassing van acupunctuur. Tijdens mijn cursus voor artsen die zieken thuis bezoeken, heb ik precies dezelfde woorden gebruikt. Ik verwachtte van mijn patiënten dat zij ertoe in staat waren en nu verwachtte iemand het van mij. Het was gemakkelijker gezegd dan gedaan, maar het lukte.

Na een poosje hielden we stil om even te rusten en ik merkte dat de meeste puntjes waren afgebroken. De sneden bloedden en er waren splinters onder mijn huid gedrongen. We liepen over *spinifex*. Plantkundigen noemen dat helmgras, omdat hiermee het zand bijeengehouden wordt en omdat het in leven blijft op plaatsen waar weinig water is, door opgerolde, messcherpe bladeren te vormen. Het woord 'gras' is uiterst misleidend. Dit spul lijkt op geen enkele grassoort die ik ken. Niet alleen kun je je snijden aan de sprieten, maar de punten lijken op de stekels van een cactus. Waar ze in mijn huid drongen, veroorzaakten ze een stekende rode zwelling. Gelukkig houd ik ervan om veel buitenshuis te zijn – ik was gebruind door de zon en liep vaak blootsvoets – maar mijn voetzolen waren niet voorbereid op de mishandeling die ze te wachten stond. De pijn hield aan en bloed in allerlei tinten, van helderrood tot donkerbruin, kleefde aan mijn voeten, al probeerde ik nog zo hard om mijn aandacht op iets anders te richten. Wanneer ik omlaag keek, kon ik de gebladderde lak op mijn teennagels niet meer onderscheiden van het bloed. Ten slotte werden mijn voeten gevoelloos.

We liepen in volkomen stilzwijgen. Het leek erg vreemd dat niemand een woord zei. Het zand was warm, maar niet overmatig heet. De zon was heet, maar niet onverdraaglijk. Van tijd tot tijd leek de wereld medelijden met me te krijgen door een licht briesje te laten waaien. Wanneer ik voor de groep uit keek, scheen er geen scherp afgetekende scheidingslijn tussen aarde en hemel te zijn. Dit uitzicht herhaalde zich in alle richtingen, als een aquarel, met een lucht die overvloeide in het zand. Mijn wetenschappelijke geest wilde die leegte meten met een kompas. Een wolkenformatie op een paar kilometer hoogte deed een eenzame boom aan de horizon op een 'i' met een punt erop lijken. Het enige geluid dat ik hoorde, was het geknerp van voeten op de grond. De eentonigheid werd af en

toe doorbroken wanneer een of ander woestijndiertje zich bewoog in een bosje waar we langs kwamen. Een grote bruine
valk verscheen uit het niets en bleef trage cirkels beschrijven,
waarbij hij zo nu en dan boven mijn hoofd omlaag dook. Ik
had het gevoel dat hij mijn persoonlijke vorderingen in het
oog hield. Hij dook niet boven een van de anderen, maar ik
zag er natuurlijk anders uit. Ik kon me voorstellen dat hij mij
misschien van dichtbij zou willen bekijken.
Zonder enige waarschuwing sloeg de hele colonne plotseling
af en beschreef een rechte hoek. Het verbaasde me. Er was
geen woord gezegd over een koersverandering. Iedereen
scheen het te voelen, behalve ik. Ik dacht dat ze dit spoor misschien goed kenden, maar het was duidelijk dat we geen pad
volgden. We zwierven door de woestijn.
Een wervelwind van gedachten tolde door mijn hoofd. In de
stilte was het gemakkelijk om mijn gedachten van het ene onderwerp op het andere te laten overgaan. Gebeurt dit echt?
Misschien is het een droom. Ze zeiden: dwars door Australië
lopen. Dat is niet mogelijk! Maanden achtereen lopen! Dat is
ook niet waarschijnlijk. Ze hadden mijn kreet om hulp gehoord. Wat betekende dat? Ik zou geboren zijn om dit te doen?
Wat een grap. Het was niet mijn levensdoel om te lijden tijdens een expeditie in de binnenlanden. Ik was ook bezorgd
over de ongerustheid die mijn verdwijning teweeg zou brengen bij mijn kinderen, in het bijzonder bij mijn dochter. We
stonden elkaar zeer na. Ik dacht aan mijn hospita, een forse
oudere matrone. Als ik mijn huur niet op tijd betaalde, zou zij
me wel helpen om het te regelen met de huiseigenaar. Vorige
week had ik nog een tv en een videorecorder gehuurd. Wegha-
len wegens wanbetaling zou een unieke ervaring zijn!
Op dat moment kon ik niet geloven dat we langer zouden
wegblijven dan op zijn hoogst één dag. Er was uiteindelijk
niets te zien wat op eten of drinken leek. Ik lachte hardop. Een
privé-grapje. Hoe vaak had ik niet gezegd dat ik zo graag een
exotische reis wilde winnen met alles erop en eraan! Nu was

het zover. Alles was voor me georganiseerd. Ik had niet eens een tandenborstel of een stel schone kleren hoeven in te pakken. Dit was dan wel niet precies wat ik me had voorgesteld, maar het was wel iets waar ik dikwijls over had gesproken.

Naarmate de dag verstreek, had ik zoveel wonden onder en aan de zijkant van mijn voeten, dat de sneden, het opgedroogde bloed en de opgezwollen plekken lelijke, gevoelloze, verkleurde bulten vormden. Mijn benen waren stijf, mijn schouders waren verbrand en pijnlijk, en mijn gezicht en armen rood en rauw. We liepen die dag ongeveer drie uren. Vaak dacht ik dat ik het niet meer kon volhouden en dat ik, als ik nu niet snel zou kunnen gaan zitten, zou instorten. Maar dan gebeurde er weer iets dat mijn aandacht trok. De valk kwam terug met zijn griezelige gekrijs vlak boven mijn hoofd, of iemand kwam naast me lopen en bood me een slok water aan uit een zak van een mij onbekend materiaal, die hij aan een koord om zijn nek of om zijn middel droeg. Op wonderbaarlijke wijze gaf die afleiding me telkens weer vleugels, ik kreeg er nieuwe kracht door, een duwtje in de rug. Eindelijk brak het moment aan om stil te houden voor de nacht.

Iedereen was meteen druk bezig. Er werd een vuur aangelegd, zonder lucifers, maar door een methode toe te passen die ik me herinnerde uit het handboek voor padvinders. Ik had nooit geprobeerd een tak in een stuk hout met een gleuf rond te draaien om een vonk te krijgen. Onze leiders konden er niet mee overweg. Ze kregen de tak nauwelijks warm genoeg om een klein vlammetje te ontsteken en wanneer erop geblazen werd, koelde het alleen maar af en werd de warmte niet verspreid. Deze mensen waren echter experts. Sommigen verzamelden brandhout en anderen zochten planten bijeen. Twee mannen hadden de hele middag samen een last gedragen. Ze hadden een kleurloze lap stof over twee lange speren gedrapeerd, zodat er een zak ontstond. Deze bevatte een aantal voorwerpen, die terwijl we liepen, uitstulpten als reusachtige knikkers. Nu legden ze hem neer en haalden er verscheidene dingen uit.

Een stokoude vrouw kwam naar me toe. Ze leek even oud als mijn grootmoeder, in de negentig. Haar haren waren sneeuwwit en haar gezicht was een en al vriendelijke rimpel. Ze had een mager lichaam, maar leek sterk en lenig, en haar voeten waren zo droog en hard, dat ze bijna op een soort hoeven leken. Ik had haar eerder gezien. Zij was degene met de fraaie beschildering rond haar hals en om haar enkels. Nu pakte ze een zakje van slangehuid, dat ze aan een koord om haar middel had gebonden, en goot iets dat leek op ontkleurde vaseline in haar handpalm. Ik begreep dat het een mengsel was van olie uit verschillende bladeren. De vrouw wees op mijn voeten en ik knikte ten teken dat ik hulp nodig had. Ze ging voor me zitten, nam mijn voeten op haar schoot, wreef het zalfje in de gezwollen plekken en begon te zingen. Het was een kalmerende melodie, zoiets als een slaapliedje dat een moeder voor haar baby zingt. Ik vroeg Ooota wat de woorden betekenden.

'Het is een verontschuldiging aan je voeten. Ze vertelt ze hoe je ze op prijs stelt. Ze vertelt dat iedereen in deze groep je voeten waardeert en ze vraagt je voeten om weer gezond en sterk te worden. Ze maakt speciale geluiden om wonden en sneden te genezen. Ze zingt ook op een bepaalde toonhoogte, zodat het vocht uit de zwellingen zal wegtrekken en ze vraagt of je voeten erg sterk en hard willen worden.'

Het was geen verbeelding. De brandende, stekende, rauwe plekken voelden al beter aan en geleidelijk voelde ik verlichting. Terwijl ik daar zat, met mijn voeten in de schoot van deze grootmoeder, begon ik voor mezelf de realiteit van de ervaringen van vandaag te analyseren. Hoe was dit gekomen? Waar was het allemaal begonnen?

4

Op uw plaatsen, klaar, af!

Het was begonnen in Kansas City. De herinnering aan die ochtend staat haarscherp in mijn geheugen gegrift. De zon had besloten ons met haar aanwezigheid te vereren na zich al een paar dagen te hebben schuilgehouden. Ik was vroeg naar de praktijk gegaan om een schema op te stellen voor patiënten die een speciale behandeling nodig hadden. Het zou nog twee uur duren voor de receptioniste kwam, en ik vond het altijd prettig om mijn zaken rustig te kunnen voorbereiden.

Toen ik de sleutel in de buitendeur stak, hoorde ik de telefoon. Zou er een spoedgeval zijn? Wie zou er zo vroeg bellen? Ik rende naar mijn kamer en pakte de telefoon, terwijl ik met mijn andere hand het licht aanknipte.

Ik werd begroet door een enthousiaste mannenstem. Het was een collega uit Australië die ik had ontmoet op een artsenconferentie in Californië.

'Hoi. Hoe zou je het vinden om een paar jaar in Australië te komen werken?'

Ik was sprakeloos en liet bijna de telefoon vallen.

'Ben je er nog?' vroeg de opbeller.

'J-j-ja,' kon ik maar net uitbrengen. 'Vertel eens, wat is de bedoeling?'

'Ik was onder de indruk van je unieke programma voor preventieve geneeskunde, dat ik er hier met mijn collega's over gesproken heb. Ze hebben gevraagd of ik je wilde bellen. We zouden graag willen dat je probeert om een visum voor vijf jaar te krijgen en dan naar ons toe komt. Je zou cursusmateriaal kunnen schrijven en lesgeven in het kader van ons programma voor sociale gezondheidszorg. Het zou geweldig zijn als we dat zouden kunnen aanvullen en het zou jou bovendien de gelegenheid geven een paar jaar in een ander land door te brengen.'

Het idee om mijn moderne huis aan het meer, een gevestigde artsenpraktijk en patiënten die door de jaren heen vrienden waren geworden, achter te laten, kwam als een schok. Het was waar dat ik zeer geïnteresseerd was in een systeem van gezondheidszorg waarin alle disciplines samenwerken, zonder de gebruikelijke kloof tussen de traditionele geneeskunde en natuurgeneeswijzen. Zou ik daarginds gelijkgestemde mensen aantreffen die werkelijk hart hadden voor gezondheid en geneeskunde, die datgene wilden doen wat het beste was voor de patiënt, of zou ik daar verwikkeld raken in weer een nieuwe vorm van negatieve manipulatie, zoals die in de Verenigde Staten was ontstaan?

Ik raakte wel enorm opgewonden bij de gedachte aan Australië. Zover mijn herinnering terugging, had ik alle boeken gelezen die ik kon vinden over het land van onze tegenvoeters. Helaas waren er maar weinig te vinden. In de dierentuin ging ik altijd kijken naar de kangoeroe en als ik maar even de kans kreeg, naar een koala. Een reis naar dat land was de vervulling van een lang gekoesterde droom. Ik was een zelfverzekerde, ontwikkelde vrouw met een eigen inkomen en zolang ik me kon herinneren had het verlangen in mijn hart geleefd om het werelddeel aan de andere kant van de aardbol te bezoeken.

'Denk erover na,' drong de Australische stem aan. 'Ik bel je over een week of twee terug.'

Het tijdstip was perfect gekozen. Juist twee weken tevoren hadden mijn dochter en haar verloofde hun huwelijk aangekondigd. Dat betekende dat ik voor het eerst van mijn leven als volwassene de vrijheid had om overal ter wereld te gaan wonen, en dat ik alles kon doen wat ik graag wilde. Mijn zoon en dochter zouden, als gewoonlijk, achter me staan. Na de scheiding waren het meer twee goede vrienden geworden dan mijn kinderen. Nu waren beiden zelfstandige jonge volwassenen en kon mijn liefste wens werkelijkheid worden.

Zes weken later was het huwelijk gesloten, had ik de praktijk overgedaan en stond ik met mijn dochter en een goede vriendin op het vliegveld. Het was een vreemde gewaarwording. Voor het eerst in jaren had ik geen auto, geen huis en geen sleutels, zelfs niet van mijn koffers, die waren voorzien van cijfersloten. Ik had al mijn aardse bezittingen weggedaan, op een paar dingen na, die waren opgeslagen. De familiestukken waren veilig ondergebracht bij mijn zuster Patci. Mijn vriendin Jana gaf me een boek voor onderweg en omhelsde me. Dochter Carri nam nog een laatste foto en daarna liep ik de vliegtuigtrap op, op weg naar het avontuur in dat andere continent. Ik had geen vermoeden van wat me te wachten stond. Mijn moeder zei altijd: 'Kies verstandig, want het zou best eens kunnen dat je krijgt waar je om vraagt.' Hoewel zij al jaren geleden was overleden, begon ik op de dag van mijn vertrek pas de ware betekenis van haar zo vaak herhaalde uitspraak te begrijpen.

De vlucht van het Midden-Westen van de Verenigde Staten naar Australië is erg lang. Gelukkig voor de passagiers moeten zelfs de grote straalvliegtuigen af en toe een tussenlanding maken om te tanken, zodat we frisse lucht konden happen in Hawaii en later nog een keer op de Fiji-eilanden. De Qantasjet was erg gerieflijk en we kregen de nieuwste Amerikaanse films te zien. Toch was het een hele zit.

In Australië is het zeventien uur later dan in de Verenigde Staten. Je vliegt letterlijk de volgende dag tegemoet. Tijdens de vlucht bedacht ik dat we in ieder geval zeker wisten dat de wereld morgen nog steeds zou bestaan! In het enorme land dat voor ons lag, was het al morgen. Geen wonder dat zeevaarders in het verleden uitbundig feestvierden bij het passeren van de evenaar, de denkbeeldige lijn op zee waar de tijd begint. Zelfs vandaag is het nog een unieke ervaring.

Eenmaal op Australische bodem werden het hele vliegtuig en alle passagiers met een desinfecterend middel bespoten om mogelijke besmetting van dit geïsoleerde werelddeel te voorkomen. Niemand van het reisbureau had me hier op voorbereid. Toen het vliegtuig landde, werd ons gevraagd om te blijven zitten. Twee personeelsleden van de gronddienst liepen van de cockpit tot de staart van het vliegtuig en sproeiden met spuitbussen boven onze hoofden. Ik had begrip voor het Australische standpunt, maar op de een of andere manier kwam de vergelijking van mijn lichaam met een schadelijk insekt toch onprettig over. Wat een welkom!

Buiten het vliegveld zag het er bijna net zo uit als thuis. Ik kon me bijna voorstellen dat ik nog steeds in de Verenigde Staten was, alleen het verkeer zoefde langs in tegenovergestelde richting. De taxichauffeur zat aan de rechterkant achter het stuur. Hij wees me een geldwisselautomaat waar ik biljetten kreeg die te groot waren voor mijn portefeuille, maar veel kleuriger dan onze groene flappen, en de muntstukken van twee en die van twintig cent zagen er leuk uit.

In de paar dagen na mijn aankomst merkte ik dat het totaal geen probleem was om aan Australië te wennen. Alle grote steden liggen aan de kust. Iedereen houdt van het strand en van watersport. Het land telt bijna evenveel vierkante kilometers als de Verenigde Staten en heeft dezelfde vorm, maar het binnenland bestaat uit onherbergzaam niemandsland. Ik kende de Amerikaanse Painted Desert en Death Valley. De bewoners van Australië hebben er vaak moeite mee zich voor te stellen dat er in het hart van ons land tarwe groeit en, rij na rij, hoge, gele maïs. Hun binnenland is zo weinig geschikt voor menselijke bewoning dat de Vliegende Dokters het razend druk hebben. De piloten worden zelfs uitgestuurd op hulpexpedities met benzine of reserveonderdelen voor gestrande automobilisten. Mensen worden per vliegtuig opgehaald wanneer ze medische verzorging nodig hebben, en er zijn geen ziekenhuizen binnen een straal van honderden kilometers. Er is zelfs schoolradio, zodat kinderen in de afgelegen gebieden toch onderwijs kunnen ontvangen.

Ik vond de steden erg modern, met Hilton-, Holiday Inn- en Ramada-hotels, overdekte winkelcentra, goede modezaken en snelverkeer. Het eten was anders. Volgens mij zijn ze nog bezig om imitaties van bekende gerechten te leren maken, maar soms zijn die imitaties erg goed want ik kreeg wel ergens een heerlijke *shepherd's pie*, zoals ik die kende uit Engeland. Er werd zelden water bij de maaltijden geserveerd zoals in Amerika en er waren nooit ijsblokjes.

In de spreektaal worden heel andere uitdrukkingen gebruikt dan bij ons, zoals *fair dinkum* voor oké, *chook* voor kip, *tinny* voor een blikje bier of *joey* voor baby-kangoeroe. Het klinkt ook vreemd dat ze in de winkels eerst 'dank u wel' zeggen en dan 'alstublieft': 'Dat is dan één dollar, dank u,' zegt een winkelmeisje.

Bier is de nationale drank bij uitstek. Ik heb er persoonlijk nooit veel om gegeven, dus ik heb niet alle soorten geprobeerd waar ze zo trots op zijn. Elke Australische staat heeft zijn eigen brouwerij en de bevolking is erg trouw aan het eigen merk, bijvoorbeeld Foster's Lager of Four X.

De Australiërs gebruiken verschillende woorden voor bepaalde nationaliteiten. Amerikanen worden dikwijls aangeduid als *Yanks*, een inwoner van Nieuw-Zeeland als een *Kiwi* en de Engelsen als *Bloody Poms*. Iemand vertelde me dat *pom* te maken had met de rode pluimen die door de Europese militairen werden gedragen, maar iemand anders zei dat het afkomstig was van de letters POM op de kleding van de gevangenen die in de negentiende eeuw uit Engeland aankwamen, en die *Prisoner of His Majesty* (Zijne Majesteits gevangene) betekenden.

Het leukste van de Australiërs vond ik hun zangerige taaltje. Natuurlijk hielden zij vol dat ìk degene was met een accent. Ik vond de mensen erg vriendelijk. Ze zorgen ervoor dat vreemdelingen snel thuis raken; je voelt je meteen welkom. De eerste paar dagen logeerde ik in verschillende hotels. Telkens wanneer ik me ergens had ingeschreven, gaven ze me een metalen kannetje met melk. Het viel me op dat iedere gast er een kreeg. In de kamer trof ik een elektrische theepot, theezakjes en suiker aan. De Australiërs houden blijkbaar van thee met melk en suiker. Ik kwam er al snel achter dat een kop koffie die smaakte zoals we dat in Amerika gewend zijn, niet te krijgen was.

De eerste keer dat ik een motel probeerde, vroeg de eigenaar of ik het ontbijt wilde bestellen en liet me een handgeschreven menukaart zien. Ik deed mijn bestelling en hij vroeg me hoe laat ik het wilde hebben, waarna hij beloofde dat het op mijn kamer gebracht zou worden. De volgende morgen hoorde ik, terwijl ik een bad nam, voetstappen die mijn deur naderden, maar er kwam niemand binnen. Ik wachtte tot er geklopt werd, maar dat gebeurde niet, er klonk alleen een geluid alsof er een deur werd dichtgeslagen. Terwijl ik me afdroogde, rook ik eten. Ik zocht overal maar kon niets vinden. De geur bleef, dus ik dacht dat die uit de kamer naast de mijne kwam.

Na ongeveer een uur had ik alles in orde gemaakt voor de komende dag en mijn koffer opnieuw ingepakt. Terwijl ik die in mijn gehuurde auto zette, kwam er een jongeman naar me toe.

'Goedemorgen, was uw ontbijt naar wens?' vroeg hij.

Ik lachte tegen hem en zei: 'Er was zeker een misverstand. Ik heb geen ontbijt gekregen.'

'Ja hoor, hier staat het. Ik heb het zelf gebracht,' zei hij, terwijl hij naar de buitenwand van mijn kamer liep en een knop omdraaide. Er bleek een kastje achter te zitten waarin een keurig opgemaakte schaal stond met steenkoude roereieren. Daarna ging hij de kamer in en deed een kastdeur open, zodat ik de

rubberachtige substantie weer zag staan. We moesten er allebei om lachen. Ik had mijn ontbijt wel geroken, maar het niet
kunnen vinden. Dat was de eerste van de vele verrassingen die
Australië voor me in petto had.

De Aussies waren aardig. Ze deden hun best om me te helpen
bij het zoeken naar een huurhuis. We vonden er een in een
goed onderhouden buitenwijk. Alle huizen in de buurt waren
ongeveer in dezelfde periode gebouwd: witte bungalows met
een veranda aan voor- en zijkant. Geen enkel huis was oorspronkelijk voorzien van sloten. De badkamers waren anders
dan wij gewend zijn, met alleen een ligbad en een wastafel, en
het toilet in een apart vertrekje. Er waren geen ingebouwde
kasten, maar het huis had een aantal ouderwetse losse kleer-
kasten. De elektrische apparaten die ik had meegebracht, kon
ik niet gebruiken. De stroomsterkte is anders en de stekkers
hebben een andere vorm. Ik moest een nieuwe haardroger en
een krultang kopen.

De achtertuin stond vol met exotische planten en bomen, die
vanwege het warme klimaat het hele jaar door bloeien. 's
Nachts kwamen padden van de geur van de bladeren genieten
en hun aantal leek elke maand toe te nemen. Ze vormen een
nationale plaag en zijn moeilijk onder controle te houden, en
daarom worden ze per stadsdeel uitgeroeid. Mijn tuin was
blijkbaar een toevluchtsoord voor ze.

De Australiërs lieten me kennis maken met *bowling*, een sport
die buiten wordt beoefend en waarbij de spelers geheel in het
wit gekleed gaan. Er waren winkels waar niets anders werd
verkocht dan witte overhemden en blouses, witte rokken en
broeken, witte schoenen en sokken, en zelfs witte hoeden. Ik
was blij dat ik eindelijk achter de reden voor die merkwaardige, beperkte soort koopwaar kwam. Ze namen me ook mee
naar een voetbalwedstrijd volgens Australische regels. Het
ging er echt ruw aan toe. Alle voetballers die ik tot dusver had
gezien, droegen dik opgevulde kleding en hadden helmen op
die hun gezicht compleet bedekten. Deze mannen hadden

korte broeken aan, shirts met korte mouwen en gebruikten geen beschermers. Op het strand zag ik mannen met een rubber kap op, die onder hun kin was vastgemaakt. Ze bleken van de reddingsbrigade te zijn. Ze hebben ook een speciale reddingsbrigade die in actie komt wanneer er haaien zijn. Opgegeten worden door een haai is geen alledaagse gebeurtenis, maar het probleem is groot genoeg om er mensen speciaal voor op te leiden.

Australië is het vlakste en droogste werelddeel. De bergen reiken tot de kust, zodat de meeste regen die valt, naar zee wegstroomt en negentig procent van het land vrijwel onvruchtbaar is. Je kunt ruim drieduizend kilometer van Sydney naar Perth vliegen en vanuit de lucht geen enkele stad zien.

Ik reisde alle grote steden van het continent af voor het gezondheidsprogramma waarbij ik was ingeschakeld. In de Verenigde Staten had ik een speciale microscoop die gebruikt kon worden om gewoon bloed te bekijken, zonder dat er iets aan toegevoegd of uitgehaald is. Een druppel is voldoende om vele aspecten van het bloed van de patiënt letterlijk in beweging te zien. We verbonden de microscoop met een videocamera en een projectiescherm. Naast de dokter gezeten konden patiënten hun witte en rode bloedlichaampjes, bacteriën of vet op de achtergrond zien. Ik ging als volgt te werk: ik nam bloed af, liet de patiënten hun eigen bloed zien en vroeg daarna aan rokers om naar buiten te gaan en een sigaret te roken. Na enkele ogenblikken nam ik opnieuw bloed af en dan konden ze zien welke invloed een sigaret had. Het systeem is heel effectief om mensen meer verantwoordelijkheid bij te brengen voor hun eigen gezondheid. Artsen kunnen het in veel gevallen toepassen. Ze kunnen iemand bijvoorbeeld de hoeveelheid vet in zijn bloed laten zien of een trage immuniteitsreactie, om daarna met de patiënt te overleggen wat hij kan doen om zichzelf te helpen. In de Verenigde Staten worden de kosten voor preventieve maatregelen echter niet gedekt door de verzekeringsmaatschappijen, zodat de patiënten dit zelf moeten bekostigen. We hoopten dat men in Australië soepeler zou zijn. Mijn taak was deze techniek te demonstreren, de apparatuur te importeren en te verzekeren, de instructies te schrijven en ten slotte de artsen op te leiden. Het was een belangrijk project en ik vond het een prettige opdracht om aan mee te werken.

Op een zaterdagmiddag ging ik naar het museum voor natuurwetenschappen. De gids was een lange, chic geklede vrouw die veel interesse toonde voor de Verenigde Staten. We maakten een praatje en na enige tijd raakten wij goed bevriend. Op een dag spraken we af om samen te gaan lunchen en zij stelde voor om naar een bijzondere tearoom te gaan in het centrum van de stad waar de bezoekers hun toekomst konden laten voorspellen. Ik weet nog dat ik er zat te wachten tot mijn vriendin kwam opdagen en ik dacht dat ik, die er altijd voor zorgde op tijd te zijn, kennissen scheen aan te trekken die voortdurend overal te laat kwamen. Het was al bijna sluitingstijd en ze zou vast niet meer komen. Ik bukte me om mijn tas op te rapen van de grond, waar ik hem drie kwartier eerder had neergezet. Een lange, magere jongeman met een donkere huidkleur die geheel in het wit was gekleed, van zijn in sandalen gestoken voeten tot de tulband om zijn hoofd, kwam naar mijn tafeltje gelopen.

'Ik heb nu tijd om uw hand te lezen,' zei hij met een zachte stem.

'O, ik zit op een vriendin te wachten, maar het lijkt erop dat ze niet meer komt. Ik kom nog wel eens terug.'

'Soms komt zoiets wel goed uit,' merkte hij op, terwijl hij de stoel tegenover me onder het ronde tafeltje voor twee personen vandaan trok. Hij ging zitten, pakte mijn hand, draaide die met de palm naar boven en begon met zijn voorspelling. Hij keek niet naar mijn hand; zijn ogen bleven strak op de mijne gevestigd.

'De reden waarom u hiernaartoe bent gekomen, niet naar deze tearoom maar naar dit werelddeel, is door het lot bepaald. U hebt erin toegestemd om hier iemand te ontmoeten, in uw beider voordeel. Deze afspraak werd gemaakt voor u beiden werd geboren. Om precies te zijn, u bent allebei op hetzelfde ogenblik geboren, u aan de andere kant van de wereld en de ander hier in Australië. De overeenkomst werd gemaakt op het hoogste niveau van uw eeuwige wezen. U sprak af elkaar niet te zullen opzoeken tot er vijftig jaar zou zijn verstreken. De tijd is nu gekomen. Wanneer u elkaar ontmoet, zal er onmiddellijke herkenning plaatsvinden op geestelijk niveau. Dat is alles wat ik u kan vertellen.'

Hij stond op en liep weg door de deur die, naar ik aannam, naar de keuken van het restaurant leidde. Ik was sprakeloos. Niets van wat hij had gezegd, leek ergens op te slaan, maar hij sprak met zoveel autoriteit, dat ik me gedwongen voelde het ter harte te nemen.

Het voorval werd nog vreemder toen mijn vriendin die avond opbelde om zich te verontschuldigen en uit te leggen waarom ze onze lunchafspraak niet was nagekomen. Ze vond het leuk om te horen wat er gebeurd was en nam zich voor de waarzegger de volgende dag op te zoeken en hem om een voorspelling voor haar eigen toekomst te vragen.

Toen ze de volgende dag weer belde, was haar enthousiasme omgeslagen in twijfel. 'Er zijn geen mannelijke waarzeggers in de tearoom,' zei ze. 'Ze hebben elke dag iemand anders, maar dat zijn allemaal vrouwen. Dinsdag zat Rose er, en die doet niet aan handlezen, zij legt de kaart. Weet je wel zeker dat je op het goede adres bent geweest?'

Ik was toch niet gek! Ik heb waarzeggerij altijd zuiver als amusement beschouwd, maar één ding was zeker: die jongeman was geen spookverschijning. Och, Australiërs denken toch al dat Yanks geschift zijn. Trouwens, niemand neemt die voorspellingen serieus; ze zijn alleen maar leuk, en in Australië zijn er zoveel leuke dingen te doen.

5

Hogerop

Er was één ding aan het land dat me niet beviel. Ik had de indruk dat de oorspronkelijke bewoners of oerbewoners, de mensen met hun donkere huid die aboriginals werden genoemd, nog steeds werden gediscrimineerd. Ze werden min of meer op dezelfde manier behandeld als de Indianen bij ons in de Verenigde Staten. De grond die ze toegewezen kregen in het binnenland is waardeloos zand en hun gebied in het noordelijke territorium bestaat uit ruwe rotsen en struikgewas. Het enige redelijke gebied dat daarnaast als hun land wordt beschouwd, is uitgeroepen tot nationaal park, zodat ze het moeten delen met de toeristen.

Bij sociale evenementen zag ik geen aboriginals en hun kinderen liepen niet tussen de schoolkinderen in uniform op straat. Op zondag trof ik ze niet aan in de kerk, hoewel ik diensten van verschillende genootschappen bijwoonde. Ik zag geen oerbewoners werken als winkelbediende, op het postkantoor of als verkoper in de grote warenhuizen. In de overheidsgebouwen waar ik moest zijn, waren geen aboriginals als employé werkzaam, en evenmin werkten ze bij benzinestations of in zelfbedieningsrestaurants. Blijkbaar woonden er maar weinig in de stad. Soms waren oerbewoners te zien op plaatsen waar veel toeristen kwamen. Vakantiegangers vergaapten zich aan deze mensen bij de grote schapenfokkerijen, waar ze als hulpjes werken en *jackaroos* worden genoemd. Ik hoorde dat wanneer een veehouder af en toe ontdekt dat een rond-trekkende groep aboriginals een schaap heeft gedood, hij geen aanklacht indient. De oerbewoners nemen alleen dat-gene weg wat nodig is om te eten. Bovendien gaat het verhaal dat aboriginals beschikken over bovennatuurlijke krachten om wraak te nemen.

Op een avond zag ik een groep halfbloed jongens van een jaar of twintig die benzine in blikjes goten en die vervolgens op-snoven, terwijl ze naar het centrum van de stad liepen. Het was duidelijk dat ze *high* werden van de dampen. Benzine is een mengsel van koolwaterstoffen en chemicaliën waarvan ik wist dat ze schade kunnen toebrengen aan beenmerg, lever, nieren, ruggemerg en het gehele centrale zenuwstelsel. Maar niemand deed iets, die avond op het plein. Ik ook niet. Ik zei niets en probeerde niet om hen met hun stompzinnige spel te laten ophouden.

Later hoorde ik dat een van de jongens die ik had gezien, was overleden als gevolg van loodvergiftiging en ademhalings-moeilijkheden. Ik ging naar het mortuarium waar de stoffelijke resten lagen opgebaard en voelde me zo ellendig alsof ik een goede vriend had verloren. Voor iemand als ik, die mijn hele le-ven had geprobeerd om ziekten te voorkomen, leek het dat het verlies van de eigen cultuur en het gebrek aan een doel in het le-ven factoren waren die hadden bijgedragen tot het spel met de dood. Wat me het meest dwars zat, was dat ik had toegekeken en geen vinger had uitgestoken om hen tegen te houden.

Ik praatte erover met Geoff, mijn nieuwe Australische vriend. Hij was eigenaar van een groot autobedrijf, hij was van mijn leeftijd, ongetrouwd en erg aantrekkelijk, de Robert Redford van Australië. We waren al een paar keer samen uit geweest en tijdens een etentje bij kaarslicht, na afloop van een concert, vroeg ik hem of het grote publiek er enig idee van had wat er gaande was. Probeerde niemand er iets aan te doen?

Hij zei: 'Ja, het is triest, maar er is niets aan te doen. Je begrijpt de abo's niet. Het zijn primitieve, wilde stammen. We hebben aangeboden om ze iets te leren. Missionarissen zijn jaren bezig geweest om te proberen ze te bekeren. In het verleden waren het kannibalen. Ook nu nog willen ze hun oude gebruiken en overtuigingen niet loslaten. De meesten geven de voorkeur aan de ontberingen in de woestijn. Het is een hard land, maar dit is ook het hardste volk ter wereld. Degenen die proberen in twee culturen tegelijk te leven, redden het niet. Het is waar dat het een uitstervend ras is. Hun aantal neemt af, maar dat is hun eigen keuze. Het zijn hopeloos ongeletterde mensen zonder ambities of hang naar succes. Na tweehonderd jaar hebben ze zich nog steeds niet aangepast. Erger nog: ze proberen het ook niet. In zaken zijn ze onbetrouwbaar, je kunt niet op ze rekenen. Het lijkt wel of ze geen gevoel voor tijd hebben. Geloof me, er is niets wat je kunt doen om ze te motiveren.'

Er gingen een paar dagen voorbij waarin ik de gedachte aan de overleden jongen niet uit mijn hoofd kon zetten. Ik sprak over mijn bezorgdheid met een vrouwelijke collega die net als ik bezig was met een speciaal project in de gezondheidszorg. Bij haar werk had ze te maken met oudere aboriginals. Ze documenteerde wilde planten, kruiden en bloemen om uit te zoeken of zij wetenschappelijk kon aantonen dat deze ziekten konden voorkomen of genezen. De oerbewoners waren autoriteiten op dat gebied. De statistiek betreffende hun hoge leeftijd en weinig voorkomende ouderdomskwalen spraken voor zich. Mijn collega bevestigde dat er weinig voortgang was gemaakt met serieuze integratie van de rassen. Ze was bereid me te helpen als ik wilde proberen om er iets aan te doen, voor zover dat mogelijk was voor één persoon.

We nodigden tweeëntwintig jonge halfbloed aboriginals uit voor een bijeenkomst. Mijn collega stelde me aan hen voor en ik vertelde die avond iets over vrij ondernemerschap dat werd gesteund door de regering en een organisatie die zich ten doel stelde de minder bedeelde stadsjeugd te helpen. De bedoeling was om een produkt te vinden dat de groep kon maken. Ik zou hen leren de grondstoffen te kopen, een werkgroep te organiseren, een artikel te maken, en dit te verkopen. Bovendien zou ik hen wegwijs maken in de zaken- en bankwereld. Ze waren geïnteresseerd.

Tijdens de volgende vergadering bespraken we de produkten die we eventueel zouden kunnen maken. Toen ik klein was, woonden mijn grootouders in Iowa. Ik herinnerde me dat mijn oma het raam omhoogschoof, een kleine verstelbare hor pakte, hem uitschoof tot de breedte van het raam, en hem daarna onder het raam zette. De hor was ongeveer vijfendertig centimeter hoog. Het huis waarin ik hier woonde, leek precies op de meeste oudere huizen in de Australische buitenwijken en had geen horren. Airconditioning werd vrijwel niet toegepast in woonhuizen. De buren schoven gewoon hun ramen open en lieten de insekten in en uit vliegen. Er waren geen muggen, maar we leverden dagelijks strijd met vliegende kakkerlakken. Ik ging alleen naar bed, maar zag vaak als ik wakker werd dat ik mijn hoofdkussen deelde met een aantal vijf centimeter grote insekten met harde zwarte schilden. Ik dacht dat een hor een goede bescherming zou vormen tegen deze indringers.

De groep was het ermee eens dat horren een goed produkt kon zijn om mee te beginnen. Ik kende een echtpaar in de Verenigde Staten dat ik kon vragen om ons te helpen. Hij was vormgever bij een groot bedrijf en zij was tekenares. Als ik in een brief uitlegde wat ik nodig had, zouden zij een ontwerp voor me kunnen maken. Na twee weken kwam de tekening. Mijn lieve tante Nola in Iowa bood aan om ons financieel te steunen bij de aankoop van het materiaal om ons op weg te helpen. Nu hadden we nog een plek nodig om te kunnen werken. Er zijn maar weinig garages, maar carports in overvloed, dus we huurden er een en werkten in de open lucht.

Elke jonge aboriginal leek als vanzelf datgene te vinden waar hij goed in was. We hadden een boekhouder, iemand die materiaal inkocht en weer een ander die de juiste berekeningen maakte van onze voorraden. Voor elk onderdeel van de produktie hadden we specialisten, er waren zelfs een paar geboren verkopers bij. Ik hield me op de achtergrond en zag hoe het bedrijfje vorm kreeg. Al snel werd duidelijk dat ze, zonder dat ik er de nadruk op had gelegd, het er gezamenlijk over eens waren dat degene die het schoonmaakwerk deed even belangrijk was voor het uiteindelijke succes van de onderneming als de jongens die ten slotte het produkt aan de man moesten brengen. Onze verkooptactiek was dat wij de horren voor een paar dagen gratis op proef boden. Wanneer we terugkwamen en de klant was tevreden, werden we betaald. Meestal kregen we dan een order voor de overige ramen van het huis. Ik leerde ze ook het goede oude Amerikaanse gebruik van het vragen naar mogelijk geïnteresseerde vrienden en kennissen.

De tijd verstreek. Ik bracht mijn dagen door met werken, schrijven van lesmateriaal, reizen, lesgeven en lezingen houden. De meeste avonden verbleef ik in het gezelschap van de jonge aboriginals. De oorspronkelijke groep bleef intact. Hun banksaldo groeide gestadig en we openden voor iedereen een spaarrekening.

Tijdens een weekend met Geoff vertelde ik over onze onderneming en mijn wens om de jongeren te helpen financieel onafhankelijk te worden. Misschien zouden ze niet door een bedrijf worden aangenomen om er te werken, maar niets kon hen ervan weerhouden zelf een zaak te kopen als ze voldoende kapitaal hadden vergaard. Misschien schepte ik wel een beetje op over mijn bijdrage aan hun groeiende gevoel van eigenwaarde. Geoff zei: 'Mooi werk, Yank.' Toen we elkaar de volgende keer weer zagen, gaf hij me een paar geschiedenisboeken. Zittend in zijn patio met uitzicht op de mooiste haven van de wereld, bracht ik een hele zaterdagmiddag lezend door.

In een van de boeken werd dominee George King geciteerd, die op 16 december 1923 in de *Australian Sunday Times* het volgende verklaarde: 'De Australische aboriginals nemen ongetwijfeld een lage plaats in op de menselijke ladder. Ze beschikken niet over betrouwbare historische gegevens over zichzelf, hun manier van leven of hun oorsprong. Als ze op dit moment van de aardbodem zouden worden weggevaagd, zouden ze geen enkel kunstwerk achterlaten als herinnering aan hun bestaan als volk. Het schijnt echter dat ze in een zeer vroege periode van de wereldgeschiedenis over de uitgestrekte vlakten van Australië hebben rondgezworven.' Er was een ander, eigentijdser citaat van John Burless over de houding van het blanke Australië, dat luidde: 'Ik wil jullie wel iets geven, maar jullie hebben niets wat ik zou willen hebben.' Passages uit lezingen over etnologie en antropologie tijdens het veertiende congres van het Australische en Nieuwzeelandse Genootschap ter Bevordering van de Wetenschap meldden: 'De reukzin is onderontwikkeld. Het geheugen is zeer matig ontwikkeld. Kinderen hebben weinig wilskracht. Ze zijn geneigd tot het spreken van onwaarheden en ze zijn laf. Ze hebben een minder ontwikkeld pijngevoel dan de hogere rassen.'

Vervolgens kwamen de geschiedenisboeken waarin werd verteld dat, wanneer een aboriginal jongen man wordt, zijn penis van scrotum tot plasbuis zonder verdoving wordt ingekerfd met een bot stenen mes en dat hij daarbij geen pijn mag tonen. Volwassen worden gaat gepaard met het uit de mond slaan van een voortand met een steen door een heilige man, met het serveren van de voorhuid als feestmaal voor mannelijke familieleden, om daarna alleen, bang en bloedend, de woestijn in gestuurd te worden om te bewijzen dat men kan overleven. De geschiedenis zegt ook dat ze kannibalen waren en dat de vrouwen soms hun eigen baby's opaten. Een verhaal gaat over twee broers: de jongere stak zijn oudere broer neer tijdens een twist over een vrouw. Na zijn eigen been, waarin koudvuur was opgetreden, te hebben geamputeerd, maakte de oudere broer de jongere blind en daarna leefden ze nog lang en gelukkig. De een hupte rond met een kunstbeen van kangoeroebot en geleidde de ander met behulp van een lange stok. De informatie was gruwelijk, maar het moeilijkst te bevatten was een voorlichtingsbrochure van de regering over de primitieve operatiemethoden, waarin werd verklaard dat de aboriginals gelukkig over een lagere pijndrempel beschikken dan de meeste andere mensen.

De jongemannen in mijn onderneming waren geen wilden. Ze konden hoogstens worden vergeleken met de kansarme jongeren in mijn vaderland. Ze woonden in geïsoleerde wijken en meer dan de helft van de gezinnen leefde van de bijstand. Het zag er volgens mij naar uit dat ze zich schikten in een leven met tweedehands spijkerbroeken, een blikje lauw bier en om de paar jaar een uitschieter van iemand die wat hogerop kwam.

Toen ik de maandag erna weer bij de horrenmakers was, besefte ik dat ik getuige was van een oprechte, niet-concurrerende samenwerking, iets wat in de zakenwereld die ik kende, niet voorkwam. Het was een verfrissende ervaring.

Ik vroeg de jongelui wat ze nog wisten van hun erfgoed. Ze vertelden me dat de betekenis van de stam al lang geleden verloren was gegaan. Een paar herinnerden zich verhalen van hun grootouders over hoe het leven was op het continent toen er alleen aboriginals woonden. Toen waren er onder andere stammen van zoutwatermensen en een Emoe-volk. Eerlijk gezegd wilden ze liever niet herinnerd worden aan hun donkere huidkleur en het verschil dat deze vertegenwoordigde. Ze hoopten met een lichter gekleurde vrouw te trouwen, zodat hun kinderen ten slotte niet meer zouden opvallen.

Ons bedrijfje was naar alle maatstaven zeer succesvol. Daarom was ik niet verbaasd toen ik op een dag een telefoontje kreeg waarin ik werd uitgenodigd voor een ontmoeting met een aboriginal-stam aan de andere kant van het continent. Uit het gesprek werd duidelijk dat het niet zomaar een vergadering was, het was míjn vergadering. 'Wilt u alstublieft regelen dat u erbij kunt zijn,' verzocht de stem van een oerbewoner.

Ik kocht nieuwe kleren, boekte een retourvlucht en reserveerde een hotelkamer. Daarna vertelde ik de mensen met wie ik samenwerkte dat ik er even tussenuit ging en legde uit dat het een unieke uitnodiging was. Ik maakte Geoff en de eigenares van mijn huis deelgenoot van mijn opwinding en schreef een brief naar mijn dochter. Het was een eer dat mensen op zo'n grote afstand hadden gehoord van ons project en blijk wilden geven van hun waardering.

'Vervoer van het hotel naar de bijeenkomst zal worden geregeld,' was me gezegd. Ze zouden me 's middags om twaalf uur komen halen. Dat wilde dus duidelijk zeggen dat het een lunch te mijner ere zou zijn. Ik vroeg me af wat er op het menu zou staan.

Nu, Ooota was precies om twaalf uur gekomen, maar de vraag wat er bij de aboriginals wordt gegeten, was nog steeds niet beantwoord.

6

Feestmaal

Het ongelooflijke genezende olieachtige zalfje, gemaakt door bladeren te verhitten en de olie die eruit kwam op te vangen, werkte. Mijn voeten deden eindelijk zoveel minder pijn, dat ik moed begon te vatten om op te staan. Rechts van mij was een groep vrouwen bezig met iets wat nog het meest op lopende-bandwerk leek. Een paar verzamelden grote bladeren, terwijl een andere vrouw met een lange graafstok tussen de struiken en dode bomen porde en een derde haalde er vervolgens een handvol van iets uit dat zij op het blad legde. Daarna werd het geheel afgedekt met een tweede blad, dat eromheen werd gevouwen. Het pakketje werd aan iemand gegeven die ermee naar het vuur liep en het in de gloeiende kolen begroef. Ik was benieuwd. Dit zou onze eerste gezamenlijke maaltijd worden, en ik had me al wekenlang afgevraagd waaruit het menu zou bestaan. Ik strompelde naar de vrouw die het voedsel raapte om het van dichtbij te kunnen bekijken en kon mijn ogen niet geloven. In haar hand hield zij een grote, witte, kronkelende worm.

Ik slaakte weer een diepe zucht. Hoe vaak ik vandaag al sprakeloos was geweest, wist ik niet meer, ik was de tel kwijtgeraakt. Eén ding wist ik heel zeker. Ik zou nooit zo'n honger hebben dat ik een worm zou opeten! Op dat moment leerde ik echter iets. Zeg nooit 'nooit'. Tot op de dag van vandaag probeer ik dat woord uit mijn vocabulaire te schrappen. Ik heb geleerd dat er dingen zijn waaraan ik de voorkeur geef en andere die ik probeer te vermijden, maar het woord 'nooit' laat geen ruimte voor onvoorziene situaties en 'nooit' omspant een lange, lange tijd.

De avonden met de oerbewoners waren heel plezierig. Ze vertelden verhalen, zongen, dansten, deden spelletjes en voerden diepgaande gesprekken met elkaar. Dit was het moment van de dag waarop ze echt met elkaar bezig waren. Er was altijd wel iets gaande terwijl we wachtten tot het eten klaar was. Wat ze veel deden, was elkaars schouders, ruggen en zelfs schedels masseren en wrijven. Ik zag hoe ze nekken en ruggewervels manipuleerden. Toen we langer onderweg waren, wisselden we technieken uit: ik liet hun de Amerikaanse manier zien om de rug en andere gewrichten op te rekken en zij leerden mij hoe dit bij hen werd gedaan.

Die eerste dag werden er geen kopjes, borden of kommen uitgepakt. Ik had het goed geraden. De sfeer zou informeel gehouden worden en alle maaltijden werden genuttigd als een picknick. Het duurde niet lang voor de van bladeren gevouwen schaaltjes uit de houtskool werden gehaald. Het mijne werd me overhandigd met de toewijding van een privé-verpleegster. Iedereen opende zijn pakje en begon met zijn vingers te eten. Dat van mij was warm, maar ik voelde niets bewegen, zodat ik mijn moed bijeenraapte en erin keek. De worm was verdwenen, althans het leek niet meer op een worm. Het was nu een bruin, korrelig laagje dat eruit zag als geroosterde pinda's of gegrild spek. Ik dacht bij mezelf: ik geloof dat ik dit wel aankan, en nam een hap. Het smaakte goed! Ik wist toen nog niet dat voedsel bereiden zonder dat het herkenbaar was, niet hun gewoonte was, maar dat het speciaal voor mij werd gedaan.

Die avond werd me verteld dat mijn werk met de aboriginals in de stad was gerapporteerd. Hoewel deze jongemannen geen volbloed oerbewoners waren en niet tot deze stam behoorden, was mijn werk een demonstratie van iemand die zich oprecht om hun lot bekommerde. Ze hadden me laten komen, omdat ze voelden dat ik om hulp riep en zij begrepen dat mijn bedoelingen zuiver waren. Het probleem was dat ik naar hun mening niets begreep van de cultuur van de aboriginals en zeker niet van de gebruiken van deze stam. De ceremoniën die eerder op de dag hadden plaatsgevonden, waren proeven geweest. Ik was geaccepteerd en waardig bevonden om iets te mogen leren van de ware relatie van mensen ten opzichte van de wereld waarin we leven, de wereld erna, de dimensie vanwaar we kwamen en de dimensie waarnaar we allen zullen terugkeren. Ik zou de zin van mijn bestaan leren begrijpen.

Terwijl ik op de grond zat, mijn tot rust gekomen voeten omwikkeld met bladeren uit hun kostbare, beperkte voorraad, legde Ooota uit dat het een geweldige onderneming voor deze woestijnnomaden was om een tocht met mij te maken waarin ik hun leven mocht delen. Nooit eerder hadden ze een blanke in hun midden gehad of er zelfs maar over gedacht om er betrekkingen mee aan te knopen. Sterker nog, tot dusver hadden ze dat altijd vermeden. Volgens hen hadden alle andere aboriginal-stammen in Australië zich onderworpen aan de wetten van de blanke regering. Zij waren de laatsten die standhielden. Gewoonlijk trokken ze rond met kleine families van zes tot tien mensen. Voor deze gebeurtenis waren ze samengekomen.

Ooota maakte een opmerking tegen de groep en ieder afzonderlijk zei iets tegen me. Ze vertelden me hoe ze heetten. De woorden waren erg moeilijk voor me, maar gelukkig hadden hun namen een betekenis. Namen worden niet gebruikt op de manier zoals wij dat in de Verenigde Staten doen, waar iemand 'Debbie' heet of 'Cody'. Ik kon verband leggen tussen iemands naam en zijn functie in de groep en hoefde niet te proberen het woord zelf uit te spreken. Elk kind krijgt een naam bij de geboorte, maar naarmate de persoonlijkheid van de mens zich ontwikkelt, ontgroeit hij zijn geboortenaam en kan hij zelf een naam kiezen die beter bij hem past. Men hoopt dat iemand tijdens zijn leven verscheidene malen van naam verandert, omdat wijsheid, creativiteit en doelstellingen zich in de loop van de tijd duidelijker aftekenen. Bij onze groep bevonden zich onder vele anderen Verhalenverteller, Gereedschapmaker, Geheimbewaarder, Naaivrouw en Grote Muziek.

Ten slotte wees Ooota naar mij en sprak tegen iedereen, waarbij hij hetzelfde woord vele malen herhaalde. Ik dacht eerst dat ze probeerden mijn voornaam te zeggen en daarna dat ze me bij mijn achternaam noemden. Het bleek geen van beide te zijn. Het woord dat ze die avond gebruikten en de naam waarmee ik tijdens de hele reis zou worden aangesproken, was Mutant, een door mutatie ontstaan individu. Ik begreep niet waarom Ooota, die tolk was voor beide talen, zijn stamgenoten leerde om zo'n vreemde term te gebruiken. Mutant betekende volgens mij een belangrijke verandering in een basisstructuur, waardoor het resultaat niet meer op het origineel lijkt. Op dat moment deed het er echter niet veel toe, want mijn hele dag, nee, mijn hele leven verkeerde in een toestand van totale verwarring.

Ooota zei dat er bij sommige aboriginal-stammen in totaal slechts acht namen werden gebruikt, zoiets als een rijtje cijfers. Iedereen van dezelfde generatie en dezelfde sekse werd beschouwd als behorend tot één familie, dus iedereen had verscheidene moeders, vaders, broers enzovoort.

Toen het donker begon te worden, vroeg ik wat de gebruikelijke manier was om naar het toilet te gaan. Ik wilde dat ik beter had opgelet hoe Zuke, de kat van mijn dochter, het deed, want het bleek de gewoonte te zijn een eindje de woestijn in te lopen, een gat in het zand te graven, erboven te hurken en de inhoud met zand te bedekken. Ze waarschuwden me dat ik moest oppassen voor slangen. Die worden actief wanneer het heetste deel van de dag voorbij is, maar vóór de koelte van de nacht. Ik kreeg visioenen van gemene ogen en giftige tongen in het zand, wakker gemaakt door mijn activiteiten. Tijdens mijn reizen door Europa had ik geklaagd over het afschuwelijke toiletpapier. Naar Zuid-Amerika had ik mijn eigen voorraad meegenomen. Hier was het ontbreken van papier niet mijn grootste zorg.

Weer terug bij de groep na mijn gewaagde tocht in de woestijn, dronken we gezamenlijk steenthee uit een zak. De drank werd gemaakt door hete stenen in een zak kostbaar water te laten vallen. De zak was oorspronkelijk de blaas van een dier geweest. Wilde kruiden werden aan het hete water toegevoegd en moesten een poosje trekken tot de thee perfect op smaak was. We dronken om de beurt uit het unieke stuk serviesgoed. Het smaakte heerlijk!

Ik begreep dat de steenthee door de stam werd bewaard voor bijzondere gelegenheden, zoals het feit dat ik de eerste dag van de trektocht had volbracht. Ze begrepen dat ik het moeilijk had gehad zonder schoenen, schaduw of transportmiddel. De kruiden die voor de thee werden gebruikt, waren niet bedoeld om variatie in het menu aan te brengen en hadden ook geen medicinale of voedingswaarde. Het was een viering, een manier om de waardering van de groep tot uitdrukking te brengen. Ik had het niet opgegeven, had niet geëist om naar de stad teruggebracht te worden en was evenmin in tranen uitgebarsten. Ze hadden het gevoel dat de geest van de aboriginals door mij werd ontvangen.

Na de thee begonnen ze vlakke plekken in het zand te zoeken en iedereen pakte uit de gezamenlijke bundel die de hele dag was meegedragen, een opgerolde huid. Een oudere vrouw had me de hele avond aan zitten staren met een nietszeggende uitdrukking op haar gezicht. 'Wat denkt ze van me?' vroeg ik aan Ooota. 'Dat je je vermogen om bloemen te ruiken hebt verloren en dat je waarschijnlijk uit de ruimte afkomstig bent.' Ik lachte tegen haar toen ze me mijn rol overhandigde. Haar naam was Naaivrouw.

'Hij is van een dingo,' verklaarde Ooota. Ik wist dat de dingo de wilde hond van Australië was, vergelijkbaar met onze prairiewolf. 'Hij is op verschillende manieren te gebruiken. Je kunt hem onder je op de grond leggen, of jezelf ermee toedekken, of hem opgerold onder je hoofd schuiven.'

Geweldig, dacht ik. Ik mag kiezen welke zestig centimeter van mijn lichaam ik warm wil houden! Ik koos ervoor om de huid te gebruiken tussen mij en de kruipende griezels die vast en zeker in de buurt waren. Het was jaren geleden dat ik op de grond had geslapen. Als kind had ik in mijn vakanties veel tijd doorgebracht op een grote, platte rots in de Mojave-woestijn, in Californië. Wij woonden in Barstow. De voornaamste attractie was een grote heuvel, die de 'B'-heuvel werd genoemd. Heel wat zomerdagen heb ik met een fles limonade en een broodje pindakaas op en om die heuvel rondgezworven. Ik zat altijd op dezelfde vlakke rots te eten en ging daarna op mijn rug liggen om naar de wolken te kijken en er figuren in te ontdekken. Mijn jeugd leek erg lang geleden. Grappig dat de hemel dezelfde was gebleven. De laatste jaren had ik weinig aandacht geschonken aan sterrenbeelden. Boven mij welfde een kobaltblauwe koepel bespikkeld met zilver. Ik kon duidelijk het sterrenbeeld zien dat is afgebeeld op de Australische vlag, het Zuiderkruis.

Terwijl ik daar lag, dacht ik na over mijn avontuur. Hoe zou ik ooit de gebeurtenissen van vandaag kunnen beschrijven? Er was een deur geopend en ik was een wereld binnengegaan waarvan ik niet wist dat ze bestond. Het was beslist geen luxe leventje. Ik had op verschillende plaatsen gewoond en in veel landen gereisd, maar nog nooit iets als dit meegemaakt. Het zou uiteindelijk allemaal wel goed komen. De volgende ochtend zou ik hun uitleggen dat één dag echt alles was wat ik nodig had om hun cultuur te leren waarderen. Mijn voeten zouden de wandeling terug naar de jeep wel kunnen verdragen. Misschien zouden ze me wel iets van dat geweldige voetenzalfje willen meegeven, want het had werkelijk geholpen. Dat ene voorbeeld van deze manier van leven was voldoende en vandaag was achteraf bezien niet eens zo'n slechte dag geweest, afgezien dan van mijn voeten.

Ergens diep in mijn hart was ik oprecht dankbaar dat ik iets had leren begrijpen van de levenswijze van andere volkeren. Ik begon in te zien dat er meer dan bloed alleen door het menselijk hart stroomt. Ik sloot mijn ogen en zond een woordeloos 'dank U' op naar de Macht daarboven.

Iemand aan de rand van het kamp zei iets. Het werd eerst door een ander overgenomen en daarna door de volgende. Ze gaven het door, iedereen zei dezelfde zin, die van de een naar de ander oversprong. Ten slotte werden de woorden aan Ooota gegeven, wiens slaapvacht naast de mijne lag. Hij draaide zich naar me om en zei: 'Je bent welkom, deze dag is goed.'

Een beetje verschrikt door hun antwoord op mijn onuitgesproken woorden reageerde ik door mijn 'dank U' te herhalen, maar nu hardop.

7

Sociale zekerheid

De volgende ochtend werd ik al voor zonsopgang gewekt door het lawaai van mensen die de paar verspreid liggende voorwerpen die we de vorige avond hadden gebruikt, bijeenzochten. Ze zeiden dat de dagen warmer begonnen te worden, zodat we in de koelere ochtenduren zouden lopen, om daarna een poos te rusten en onze tocht in de avond voort te zetten. Ik vouwde de dingohuid op en gaf die aan de man die aan het inpakken was. De huiden werden bovenop gelegd, omdat we op het heetst van de dag bescherming tegen de zon nodig zouden hebben. Als we geen beschutte plek vonden, zou er een *wiltja* worden gebouwd, of we zouden de slaaphuiden gebruiken als zonnescherm.

De meeste dieren houden niet van de brandende zon. Alleen de hagedissen, spinnen en bosvliegen zijn waakzaam en actief bij een temperatuur van boven de 40 graden Celsius. Zelfs slangen graven zich in tijdens grote hitte, omdat ze anders uitdrogen en doodgaan. Slangen die hun kop uit de zanderige bodem steken om te kijken waardoor de trilling wordt veroorzaakt wanneer ze iemand horen aankomen, zijn meestal moeilijk te ontdekken. Gelukkig wist ik op dat moment nog niet dat er tweehonderd verschillende soorten slangen in Australië voorkomen, waarvan er zeventig giftig zijn.

Die dag werd ik me wel bewust van de opmerkelijke verbondenheid die de aboriginals met de natuur hebben.

Voor we op weg gingen, vormden we een halve cirkel; we stonden dicht bij elkaar met ons gezicht naar het oosten. De Stamoudste bevond zich in het midden en begon eentonig iets te zingen. Het ritme werd door iedereen opgepakt en overgenomen door in de handen te klappen, met de voeten te stampen of zich op de dijen te slaan. Het duurde ongeveer een kwartier. Dit ritueel vond elke ochtend plaats en ik ontdekte dat het een heel belangrijk deel van onze samenleving was. Het was een soort ochtendgebed, of bijeenkomst, of het uitspreken van de plannen voor die dag, hoe je het ook wilt noemen. Deze mensen geloven dat alles op de planeet bestaat om een bepaalde reden. Alles heeft een doel. Er zijn geen abnormaliteiten, dingen die er niet in passen of toevalligheden. Er zijn alleen misverstanden en mysteries die nog niet aan de sterfelijke mens zijn geopenbaard.

Het doel van het plantenrijk is om dieren en mensen te voeden, de grond bijeen te houden, schoonheid te verhogen, evenwicht te brengen in de atmosfeer. Mijn wetenschappelijke geest vertaalde dit onmiddellijk naar de natuurlijke wisselwerking tussen zuurstof en kooldioxyde. Het voeden van de mens is niet het voornaamste doel van het dier, maar het stemt erin toe dat te doen wanneer het noodzakelijk is. Het dier moet voor het evenwicht zorgen, een metgezel zijn en de mens tot voorbeeld dienen. Daarom zendt de stam elke ochtend een gedachte of een boodschap uit naar de dieren en planten vóór ons. Ze zeggen: 'We lopen jullie kant op. We komen om eer te bewijzen aan jullie bestaan.' Het is aan de planten en dieren om zelf uit te maken wie er zal worden gekozen.

De mensen van de stam die zich het Echte Volk noemt, zitten nooit zonder voedsel. Het universum reageert altijd op hun in de geest uitgesproken boodschap. Ze geloven dat de wereld een oord van overvloed is. Zoals u en ik bij elkaar zouden komen om te luisteren naar iemand die piano speelt en om dat talent te waarderen, doen zij hetzelfde met alles wat er in de natuur voorkomt. Als we een slang op ons pad vonden, was die daar kennelijk om als onze avondmaaltijd te dienen. Het dagelijkse voedsel vormde een heel belangrijk deel van onze avondviering. Ik leerde dat het vinden van voedsel niet als iets vanzelfsprekends werd beschouwd. Er werd eerst om gevraagd, er werd altijd verwacht dat het zich zou aandienen, en als het dan verscheen, werd het dankbaar aanvaard en die dankbaarheid werd altijd betoond. De stam begint iedere dag met een dankwoord aan de Eenheid voor de nieuwe dag, voor henzelf, hun vrienden en de wereld. Soms vragen ze om iets bijzonders, maar het wordt altijd zo geformuleerd: 'Alleen als het goed is voor mij en van het hoogste belang voor al het leven, overal.'

Na de ochtendbijeenkomst in de halve cirkel wilde ik Ooota duidelijk maken dat het tijd werd om me terug te brengen naar de jeep, maar hij was nergens te vinden. Uiteindelijk besloot ik dat ik het nog wel een dag zou kunnen volhouden.

De stam neemt geen voorraden mee. Ze planten geen gewassen; ze oogsten niets. Ze lopen door de gloeiend hete Australische binnenlanden in de wetenschap dat ze elke dag de milde zegeningen van het universum zullen ontvangen. Het universum stelt hen nooit teleur.

We aten die eerste dag geen ontbijt en later zou ik erachter komen dat het de gebruikelijke gang van zaken was. Soms was er 's avonds een maaltijd; we aten echter als het voedsel zich aandiende, ongeacht de stand van de zon. Vaak voedden we ons onderweg met een kleinigheid, geen echte maaltijd zoals wij die kennen.

We hadden enkele van een blaas gemaakte waterzakken bij ons. Het menselijk lichaam bestaat voor ongeveer zeventig procent uit water en vraagt onder ideale omstandigheden ongeveer vier liter per dag. De aboriginals hebben veel minder nodig en ze dronken dan ook niet zo veel als ik. Feitelijk namen ze maar weinig uit de waterzakken. Hun lichamen leken het vocht dat zich in hun voedsel bevond optimaal te gebruiken. Ze geloven dat mutanten aan veel dingen verslaafd zijn en daar wordt water ook toe gerekend.

Wanneer het etenstijd was, gebruikten we water om iets te weken dat eruit zag als gedroogde kruiden. De bruine stelen gingen in het water als levenloze, uitgedroogde stokjes en kwamen er vaak uit als iets dat merkwaardig veel leek op verse selderiestengels.

Ze konden water vinden op plaatsen waar geen vocht te zien was. Soms gingen ze in het zand liggen en hoorden daar water onder, een andere keer legden ze hun hand met de palm omlaag op de grond en voelden of er water aanwezig was. Dan staken ze lange, holle rietstengels in de aarde, zogen eraan en maakten zo een kleine bron. Het water was zanderig en donker van kleur, maar smaakte zuiver en verfrissend. Ze zagen dat er in de verte water was door naar de door de hitte ontstane damp te kijken en ze konden het zelfs ruiken en voelen in de wind. Ik begrijp nu waarom zoveel mensen die de binnenlanden intrekken, van dorst omkomen. Er is de ervaring van een oermens voor nodig om te overleven.

Toen we water uit een rotsspleet haalden, werd me geleerd hoe ik het gebied moest benaderen, om het niet te besmetten met mijn menselijke geur en de dieren niet te verschrikken. Het was tenslotte ook hun water. De dieren hadden er evenveel recht op als de mensen. De stam maakte nooit al het water op, ook al was de voorraad op dat moment heel gering. Bij elke watervindplaats gebruikten de mensen dezelfde plek om te gaan drinken. Alle dieren leken dezelfde regel aan te houden. Alleen de vogels sloegen er geen acht op en dronken en spetterden zoals het ze uitkwam.

De stamleden konden door naar de grond te kijken weten welke dieren er in de buurt waren. Als kind wordt hun de gewoonte bijgebracht om scherp op te letten en aldus in één oogopslag de sporen te herkennen die door lopende, springende of kruipende wezens in het zand zijn gemaakt. Ze zijn er zo aan gewend elkaars voetsporen te lezen, dat ze niet alleen weten wie er heeft gelopen, maar ook aan de lengte van de passen kunnen zien of de persoon gezond is of langzaam loopt omdat hij zich niet goed voelt. Hun waarnemingsvermogen is veel beter ontwikkeld dan dat van de mensen die in onze cultuur opgroeien. Hun gehoor, gezichtsvermogen en reuk lijken bijna bovenmenselijk. Voetstappen hebben vibraties die veel meer zeggen dan alleen datgene wat er in het zand te zien valt.

Later hoorde ik dat aboriginals die als gids optreden erom bekendstaan dat ze uit bandensporen niet alleen de snelheid, het soort auto, de dag en de tijd kunnen aflezen, maar zelfs het aantal inzittenden.

Gedurende de volgende dagen aten we bollen, knollen en andere groenten die ondergronds groeien en die lijken op aardappelen en *yams*. Ze konden een plant vinden die rijp was om geoogst te worden zonder die uit de grond te trekken. Ze bewogen hun handen boven de planten en zeiden: 'Deze groeit, maar is nog niet rijp,' of: 'Ja, deze is gereed om nieuw leven voort te brengen.' Alle stengels zagen er voor mij eender uit, dus nadat ik er verscheidene had verstoord en had toegekeken hoe ze opnieuw geplant werden, besloot ik dat het beter was om te wachten tot me werd gezegd welke ik kon uittrekken. Ze verklaarden het als het natuurlijke vermogen om met een wichelroede te werken dat aan ieder mens is gegeven. Omdat het in mijn samenleving niet werd aangemoedigd om op je eigen intuïtie af te gaan en dit zelfs werd beschouwd als iets bovennatuurlijks, misschien zelfs duivels, moest me geleerd worden dat natuurlijke vermogen te gebruiken. Ten slotte wist ik hoe ik planten kon vragen of ze toe waren aan de eer om te worden gebruikt voor het doel waarvoor ze bestemd waren. Eerst vroeg ik toestemming aan het heelal en daarna ging ik met mijn hand over de plant. Soms voelde ik warmte en soms schenen mijn vingers onwillekeurige, schokkende bewegingen te maken wanneer ik ze boven rijpe vegetatie hield. Toen ik het eenmaal geleerd had, voelde ik dat het een enorme stap voorwaarts was in mijn acceptatie door de stamleden. Het leek te betekenen dat ik iets minder gemuteerd was en misschien geleidelijk aan echter zou worden.

Het was belangrijk om nooit de totale hoeveelheid van een bepaalde plant te gebruiken. Er werd altijd genoeg overgelaten om weer te kunnen groeien. De oermensen zijn zich enorm bewust van wat zij het lied of de onuitgesproken woorden van de aarde noemen. Ze voelen dat de natuur iets wil overbrengen, vertalen dat op een unieke manier en handelen daarna heel gewetensvol, bijna alsof ze een soort ontvanger hebben waarop boodschappen uit het universum doorkomen.

Een van de eerste dagen liepen we over de bedding van een drooggevallen meer. Er waren onregelmatige, brede breuken in het oppervlak, met omgekrulde randen. Een paar vrouwen verzamelden de witte klei, die later werd verpulverd tot een fijn poeder waarvan verf werd gemaakt.

De vrouwen hadden lange stokken bij zich, die ze in de harde kleilaag staken. Op ruim een meter diepte vonden ze vocht en haalden er kleine ronde balletjes modder uit. Tot mijn verbazing bleken de bolletjes, toen de modder eraf geveegd was, kikkers te zijn. Ze probeerden de dood door uitdroging te voorkomen door zich diep onder de oppervlakte in te graven. Geroosterd waren ze erg sappig en smaakten naar kip. In de maanden die volgden, verscheen er een grote verscheidenheid aan voedsel op onze weg om te worden gebruikt bij onze dagelijkse viering van het universele leven. We aten kangoeroes, wilde paarden, hagedissen, slangen, kevers, wormen in alle maten en kleuren, mieren, termieten, miereneters, vogels, vissen, zaden, noten, vruchten, te veel planten om op te noemen en zelfs krokodillen.

Die eerste ochtend kwam een van de vrouwen naar me toe. Ze haalde de groezelige band van haar hoofd en gebruikte die, terwijl ze mijn lange haren van de nek af omhoog hield, om een nieuw kapsel te creëren. Ze heette Geestvrouw. Ik begreep niet met wie ze geestelijk was verbonden, maar nadat we goede vriendinnen waren geworden, besloot ik dat ik het moest zijn.

Ik raakte de tel kwijt met de dagen en de weken; ik had geen begrip meer van wat tijd feitelijk was. Terugkeren naar de jeep had ik opgegeven. Het scheen nutteloos en er leek zich iets anders af te spelen. Ze hadden een bepaald plan voor ogen. Het was echter duidelijk dat ik op dit moment nog niet mocht weten wat dat was. Mijn kracht, mijn reacties, mijn overtuigingen werden voortdurend op de proef gesteld. Waarom wist ik niet, maar ik begreep dat mensen die niet kunnen lezen of schrijven, geen andere manier hebben om iemands vorderingen te meten.

Op sommige dagen werd het zand zo heet, dat ik mijn voeten letterlijk kon horen! Ze sisten als hamburgers in een pan. Geleidelijk aan droogden de blaren op en werden hard, en er vormde zich een soort hoef.

Met het verstrijken van de tijd bereikte mijn fysieke uithoudingsvermogen verbazingwekkende nieuwe hoogten. Zonder iets te eten voor ontbijt of lunch leerde ik me te voeden door er alleen naar te kijken. Ik keek naar wedstrijden tussen hagedissen, zag hoe insekten zich verzorgden en vond verborgen schilderijen in de stenen en in de lucht.

De aboriginals maakten me attent op heilige plaatsen in de woestijn. Het leek wel of alles heilig was: rotsblokken, heuvels, ravijnen, zelfs vlakke, opgedroogde meertjes. Er schenen onzichtbare grenzen te zijn die het territorium van vroegere stammen afbakenden. Ze demonstreerden hoe ze afstanden meten door liederen te zingen met heel eigen details en ritmes. Sommige liederen hadden wel honderd coupletten. Elk woord en elke pauze moest precies op het goede moment komen. Er kon niet worden geïmproviseerd of iets worden overgeslagen want het zijn letterlijk meetinstrumenten. Ze zongen ons van de ene plek naar de andere. Ik kon die gezongen regels alleen vergelijken met de methode die een blinde vriend van me gebruikt om afstand te bepalen. Ze hebben geweigerd om een geschreven taal te gebruiken, omdat die in hun ogen de kracht van het geheugen wegneemt.

De hemel behield zijn wolkeloze pastelblauwe kleur, dag na dag, met voor de afwisseling alleen een verschil in tint. Het felle licht midden op de dag weerkaatste op het glinsterende zand; het deed pijn aan mijn ogen en toch werden ze er sterker van, zodat ik een vloed van nieuwe indrukken kon opnemen.

Ik begon dingen te waarderen in plaats van ze als vanzelfsprekend te beschouwen: de vernieuwing na een goede nachtrust, hoe een paar slokjes water mijn dorst werkelijk konden lessen, en de hele reeks van smaken, van zoet tot bitter. Mijn leven lang had ik mezelf overtuigd van het belang van een vaste baan, de noodzaak een buffer op te bouwen tegen inflatie, het kopen van een huis en het sparen voor mijn oude dag. Hier was onze enige zekerheid de nooit falende cyclus van ochtenddauw en ondergaande zon. Het verbaasde me dat het ras, dat naar mijn maatstaven het onzekerste bestaan leidde dat er op de wereld mogelijk was, niet leed aan maagzweren, hoge bloeddruk of hart- en vaatziekten.

Ik leerde schoonheid en de eenheid van alle leven te ontdekken in de vreemdste zaken. Een kuil vol slangen, misschien wel tweehonderd bij elkaar, allemaal ter dikte van mijn duim, die door elkaar kronkelden als een ingewikkeld patroon op de buitenkant van een sierlijke vaas in een museum. Ik heb altijd een hekel gehad aan slangen, maar nu zag ik dat ze noodzakelijk waren voor het evenwicht in de natuur en voor het overleven van onze groep reizigers. Omdat deze schepsels zo moeilijk liefdevol geaccepteerd kunnen worden, zijn ze voorwerpen geworden die in kunst en in godsdienst worden opgenomen.

Naarmate de maanden verstreken, werden we geconfronteerd met extreme weersomstandigheden. De eerste nacht had ik de huid die ik had gekregen onder me gelegd als een matras, maar toen de nachten kouder werden, gebruikte ik hem als

deken. De meeste mensen lagen op de kale grond, wegge-
kropen in elkaars armen. Ze hadden meer aan de warmte van
een ander lichaam dan aan die van het vuur waarnaast ze lagen. In de koudste nachten werden meerdere vuurtjes ont-
stoken. In het verleden waren ze rondgetrokken met tamme
dingo's die als hulp bij de jacht, als gezelschap en als warmte-
bron tijdens de nacht dienden. Vandaar de uitdrukking 'een
drie-hondennacht' als het erg koud was.

Op sommige avonden gingen we in een cirkel op de grond liggen. Zo konden we onze slaaphuiden beter benutten en de
dicht aaneengesloten groep leek de lichaamswarmte beter te
bewaren en over te brengen. We groeven sleuven in het zand
en legden daar een laag hete kolen in, die weer met zand werd
afgedekt. De helft van de huiden legden we op de grond en de
andere helft trokken we over ons heen. We lagen met zijn
tweeën op één zo'n verwarmde strook en onze voeten kwamen in het midden bij elkaar.

Ik herinner me dat ik mijn kin op beide handen liet steunen en
zo naar de weidse hemel boven ons keek, voelend dat de essentie van deze geweldige, pure, onschuldige, liefhebbende
mensen me omringde. Deze kring van zielen in de vorm van
een margriet, met kleine vuren tussen elk groepje van twee
lichamen, moet een prachtig gezicht geweest zijn als je hem
vanuit de kosmos boven bekeek. Ze raakten alleen elkaars tenen aan, maar ik begreep met de dag beter hoe hun bewustzijn door de eeuwen heen het universele bewustzijn van de
mensheid raakte. Eindelijk begon het tot me door te dringen
waarom ze zo oprecht het gevoel hadden dat ik een mutant
was, en ik was even oprecht in mijn dankbaarheid voor de gelegenheid om te ontwaken.

8

Draadloze telefoon

Deze dag begon zo ongeveer als de voorgaande, behalve dat we ontbeten, iets wat niet gebruikelijk was. Toch was dit geen reden voor een of ander voorgevoel. De vorige dag hadden we een maalsteen op ons pad gevonden. Het was een groot, ovaal rotsblok, kennelijk veel te zwaar om mee te dragen en daarom achtergelaten om te worden gebruikt door iedere reiziger die het geluk had over zaden of graan te beschikken. De vrouwen maalden stengels van planten tot fijn meel dat werd gemengd met zout gras en water, waarna er platte koekjes van werden gevormd die op ondermaatse pannekoeken leken.

Tijdens onze ochtendbijeenkomst keken we naar het oosten en dankten voor al onze zegeningen. Vervolgens zonden we onze dagelijkse boodschap om voedsel uit. Een van de jongere mannen mocht in het midden staan. Er werd uitgelegd dat hij had aangeboden die dag een speciale taak te verrichten. Hij vertrok vroeg uit het kamp en rende vooruit. We hadden al enkele uren gelopen toen de Oudste bleef staan en vervolgens op zijn knieën viel. Iedereen ging om hem heen staan terwijl hij geknield bleef liggen, zijn armen voor zich uitgestrekt en zachtjes heen en weer wiegend. Ik vroeg Ooota wat er gebeurde, maar hij gebaarde dat ik stil moest zijn. Niemand zei iets, maar ieders gezicht stond gespannen. Eindelijk wendde

Ooota zich tot me en zei dat de jonge verkenner, die vroeger was weggegaan dan wij, een boodschap stuurde. Hij vroeg toestemming om de staart af te snijden van een kangoeroe die hij had gedood.

Eindelijk drong tot me door waarom het elke dag zo stil was onder het lopen. Deze mensen gebruikten meestal telepathie wanneer ze elkaar iets mee te delen hadden. Ik was er getuige van. Er viel absoluut geen geluid te horen, maar er werden boodschappen uitgewisseld tussen mensen die vijfendertig kilometer van elkaar verwijderd waren.

'Waarom wil hij de staart eraf halen?' vroeg ik.

'Dat is het zwaarste deel van de kangoeroe, en hij is te ziek om het dier in zijn geheel te kunnen dragen. Het is groter dan hij, en hij vertelt ons dat het water dat hij onderweg heeft gedronken, bedorven was en dat zijn lichaam te warm is geworden. Er lopen druppels vloeistof over zijn gezicht.'

Er werd een onhoorbaar telepathisch antwoord verzonden. Ooota vertelde me dat we die dag niet verder zouden gaan. Enkele stamleden begonnen een kuil te graven in afwachting van het grote stuk vlees dat we zouden ontvangen. Anderen maakten van kruiden een medicijn gereed volgens de instructies van Medicijnman en Geneesvrouw.

Een paar uren later kwam de jongeman in het kamp terug, hij droeg een grote geslachte kangoeroe zonder staart. De ingewanden waren eruit gehaald en de opening was dichtgemaakt met aangepunte stokjes; de darmen dienden als koord om de vier poten bij elkaar te houden. De verkenner had de negentig pond vlees op zijn hoofd en schouders gedragen. Hij transpireerde en was kennelijk ziek. Ik keek toe hoe de stam in actie kwam om de jongeman beter te maken en het vlees te bereiden.

Eerst werd de kangoeroe boven een vlammend vuur gehouden; de geur van verbrand bont hing in de lucht. Daarna werd de kop eraf gesneden en werden de poten gebroken om de pezen eruit te kunnen halen. Ze lieten de romp in de kuil zakken, waarna er gloeiende kolen rondom werden gestapeld. Een kleine waterzak waaruit een lange, holle rietstengel stak, werd in een hoek van de diepe kuil neergelaten. Daarna werden er takjes bovenop gelegd. De volgende paar uur boog de belangrijkste kok zich van tijd tot tijd voorover in de rook en blies in de lange rietstengel, er op die manier voor zorgend dat er water vrijkwam onder de oppervlakte. De stoom werd onmiddellijk zichtbaar.

Toen het etenstijd was, waren alleen de buitenste paar centimeters geroosterd, de rest was nog erg bloederig. Ik zei dat ik mijn portie liever als een hotdog aan een stokje wilde prikken om het vlees gaar te laten worden. Dat was geen enkel probleem. Ze maakten snel een bruikbare vork.

Intussen kreeg de jonge jager medische verzorging. Eerst gaven ze hem een kruidendrank. Vervolgens verpakten zijn verzorgers zijn voeten in koel zand, dat ze uit een speciaal daarvoor gegraven diep gat haalden. Ze vertelden me dat als ze erin slaagden de hitte van zijn hoofd naar beneden te dringen, zijn lichaamstemperatuur weer in evenwicht zou komen. Het klonk me vreemd in de oren, maar het bracht de koorts daadwerkelijk omlaag. De kruiden verlichtten ook zijn maagpijn en voorkwamen de ingewandsstoornis die ik had verwacht na zo'n beproeving.

Het was een bijzondere ervaring. Als ik het niet zelf had meegemaakt, had ik het nauwelijks kunnen geloven, speciaal het telepathische contact. Ik zei tegen Ooota hoe ik me voelde.

Hij zei glimlachend: 'Nu weet je hoe iemand van onze stam zich voelt wanneer hij voor het eerst in de stad komt, iemand een muntje in een telefoon ziet stoppen, hem een nummer ziet draaien en hem dan met zijn familie hoort praten. De oermens vindt zoiets ongelooflijk.'

'Ja,' antwoordde ik, 'beide manieren zijn goed, maar die van jullie is hier in de woestijn, zonder kwartjes en telefooncellen, absoluut de beste.'

Telepathie was, dat wist ik zeker, iets wat de mensen thuis

moeilijk zouden kunnen geloven. Ze konden met gemak accepteren dat mensen over de hele wereld wreed zijn ten opzichte van elkaar, maar zouden met tegenzin geloven dat er op aarde mensen bestonden die niet racistisch zijn, die samenleven in harmonie, die elkaar steunen, die hun eigen unieke talent ontdekken en daar eerbied voor hebben, zoals ze eerbied hebben voor ieder ander. Volgens Ooota kan het Echte Volk telepathie toepassen, omdat de mensen die ertoe behoren nooit onwaarheid spreken, geen leugentje om bestwil of een halve waarheid vertellen en geen valse verklaringen afleggen. Waar geen leugens zijn, valt ook niets te verbergen. De oerbewoners zijn niet bang om hun geest open te stellen om te ontvangen, en zijn bereid om elkaar informatie te verstrekken. Ooota legde uit hoe het werkt. Als een kind, van een jaar of twee bijvoorbeeld, een ander kind met iets ziet spelen – misschien een steen die aan een touwtje wordt voortgetrokken – en hij zou dat speeltje afpakken, dan voelt hij onmiddellijk de ogen van alle volwassenen op zich gericht. Hij begrijpt dan dat zijn bedoeling om iets weg te nemen zonder toestemming bekend is en niet wordt toegestaan. Het andere kind leert dat het moet delen, dat het zich niet moet hechten aan voorwerpen. Dat kind had al plezier gehad en de herinnering daaraan in zijn geheugen opgeslagen, dus het weet dat het om het prettige gevoel gaat en niet om het hebben van het voorwerp.

Telepathie. De mens is geschapen om op die manier te communiceren. Het obstakel van verschillende talen en verschillend geschreven alfabetten wordt uit de weg geruimd wanneer mensen alleen in de geest met elkaar praten. In mijn wereld zou het echter nooit werken, bedacht ik, waar mensen stelen van hun werkgever, belasting ontduiken en slippertjes maken. De mensen in mijn omgeving zouden hun geest nooit voor een ander open willen stellen. Er is te veel bedrog, te veel pijn, en te veel bitterheid te verbergen.

En ik, zou ik persoonlijk iedereen kunnen vergeven van wie ik dacht dat hij me onrecht had aangedaan? Kon ik mezelf vergeven voor het verdriet dat ik had veroorzaakt? Ik hoopte dat ik op een dag zo ver zou komen dat ik mijn geest open kon stellen zoals de oermensen, en erbij blijven als mijn motieven werden blootgelegd en onderzocht.

Het Echte Volk gelooft dat de stem niet is bedoeld om te praten. Dat doe je met je hoofd en je hart. Als er gesproken wordt, heeft men de neiging te vervallen in niet-noodzakelijke, oppervlakkige conversatie. De stem is gemaakt om te zingen, om iets te vieren en om te genezen.

Ze maakten me duidelijk dat iedereen vele talenten heeft en dat iedereen kan zingen. Als ik die gave niet eer, omdat ik denk dat ik niet kan zingen, doet dat niets af aan de mogelijkheid tot zingen die ik in me heb.

Later tijdens onze tocht, toen ze met me werkten aan de ontwikkeling van mijn geestelijke communicatie, leerde ik dat het niet zou lukken zolang ik iets in mijn hart of mijn hoofd had dat ik verborgen wilde houden. Ik moest totale vrede vinden, in alles.

Ik moest leren mezelf te vergeven, niet te oordelen over, maar te leren van het verleden. De stam maakte me duidelijk hoe belangrijk het is om te aanvaarden, om oprecht te zijn en mezelf lief te hebben, opdat ik hetzelfde kan doen met anderen.

9

Woestijnhoed

De vliegen in de outback zijn afschuwelijk. Ze verschijnen in grote zwarte zwermen tegelijk met de eerste zonnestralen en verduisteren de hemel; het ziet eruit en klinkt als een tornado. Er was geen ontkomen aan: ik at vliegen en ademde ze in. Ze kropen in mijn oren, over mijn neus, in mijn ogen, en slaagden er zelfs in tussen mijn tanden door in mijn keel te kruipen. Ik kokhalsde en stikte er bijna in. Ze smaakten walgelijk zoet. De vliegen bleven aan mijn lichaam plakken; als ik omlaag keek, leek het of ik een zwart, bewegend harnas droeg. Ze staken niet, maar ik had zo veel last van hun gekriebel, dat het me niet opviel. Er waren er zo veel, en ze waren zo groot en zo snel, het was bijna ondraaglijk. Mijn ogen hadden er de meeste last van.

De oerbewoners voelen aan waar en wanneer de vliegen zullen opdoemen. Wanneer ze de insekten zien of horen naderen, houden ze onmiddellijk halt, doen hun ogen dicht en blijven doodstil staan, met hun armen slap langs hun lichaam.

De stamleden leerden me de positieve kant te bekijken van letterlijk alles wat we tegenkwamen, maar als ze me niet te hulp waren gekomen, zouden de vliegen mijn ondergang hebben betekend. Het was de afschuwelijkste kwelling die me ooit was overkomen en ik kon me heel goed voorstellen dat iemand die overdekt was met miljoenen bewegende insekten, er krankzinnig van kon worden. Ik had geluk dat ik niet af-knapte.

Op een ochtend werd ik benaderd door een comité van drie vrouwen. Ze kwamen naar me toe en vroegen om lokken van mijn haar, waaraan ze begonnen te plukken. Ik heb al dertig jaar mijn haar gebleekt en toen ik aan de tocht begon, had het een zacht-beige tint. Het was lang, maar ik droeg het altijd op-gestoken. Na weken lopen, zonder dat ik het ooit gewassen, geborsteld of zelfs maar gekamd had, wist ik niet hoe het eruitzag. We waren geen plas water tegengekomen die helder of stil genoeg was om er iets in weerspiegeld te zien. Ik kon me alleen maar een klitterige, verwarde, vieze bos voorstellen, bij elkaar gehouden door de haarband die Geestvrouw me had gegeven, zodat het niet in mijn ogen viel.

De vrouwen werden afgeleid van wat ze van plan waren, toen ze ontdekten dat mijn blonde haren aan de wortels donker waren uitgegroeid. Ze holden weg om verslag uit te brengen aan de Stamoudste. Hij was een rustige man van middelbare leeftijd die heel stevig, bijna atletisch gebouwd was. In de korte tijd dat we samen op weg waren, was het me opgevallen hoe oprecht hij met zijn stamleden praatte en zonder aarzelen iedereen bedankte die behulpzaam was geweest voor de groep. Ik begreep heel goed waarom hij de leidersplaats toe-bedeeld had gekregen.

Hij deed me aan iemand denken. Jaren geleden stond ik eens 's morgens om een uur of zeven in de hal van het gebouw van de Bell-maatschappij in St. Louis. De conciërge, die bezig was de marmeren vloer te polijsten, had me binnengelaten om voor de regen te schuilen. Een grote zwarte auto stopte voor het gebouw en de president van Texas Bell kwam binnen. Hij knikte toen hij me zag en wenste de schoonmaker goedemor-gen. Daarna zei hij tegen de man dat hij zijn toewijding erg op prijs stelde en dat hij, ongeacht wie het gebouw binnenkwam, al waren het hoge regeringsfunctionarissen, er altijd op kon

rekenen dat het er blinkend schoon was dankzij deze werkne-
mer. Hij maakte niet zomaar een praatje, hij meende het oprecht, en het gezicht van de conciërge straalde van trots. Ik begreep dat er iets is aan ware leiders waardoor grenzen
vervagen. Mijn vader zei altijd tegen me: 'Mensen werken niet
voor een bedrijf. Ze werken voor andere mensen.' Ik zag de
kenmerkende eigenschappen van een geboren leider in de daden van het stamhoofd.

Nadat hij was komen kijken naar het vreemde verschijnsel van
de blonde mutant met haar dat aan de wortels donkerbruin
was, mochten alle anderen het wonder aanschouwen. Hun
ogen schenen op te lichten en iedereen glimlachte van genoegen. Ooota legde uit dat het kwam, omdat ze het gevoel kregen dat ik meer oermens begon te worden.

Toen de pret voorbij was, gingen de vrouwen door met wat ze
oorspronkelijk van plan waren. Ze vlochten zaden, kleine
beentjes, peulen, gras en een kangoeroepees in mijn haar.
Toen ze klaar waren, was ik gekroond met de ingewikkeldste
haarband die ik ooit gezien had. Rondom hingen lange slier-
ten met de ingeweven voorwerpen, ter hoogte van mijn kin. Ze
verklaarden dat de Australische vishoedjes met bungelende
stukjes kurk eraan, zoals die algemeen door sportvissers gebruikt worden, vervaardigd zijn volgens dit oeroude stampa-
troon, als bescherming tegen de vliegen. Later die dag werden
we overvallen door een zwerm vliegen en mijn hoofdtooi
bleek een geschenk uit de hemel te zijn.

Een andere keer smeerden ze me, toen we werden geteisterd
door een zondvloed van vliegende en bijtende insekten, in met
slangeolie en as van ons kampvuur en lieten me daarna door
het zand rollen. Deze combinatie schrok de kleine plaaggees-
ten af. Het was de moeite waard om rond te lopen als een met
een korst bedekte clown.

Ik vroeg aan verschillende stamleden hoe ze zo stil konden
blijven staan, volkomen ontspannen, terwijl de insekten over
hen heen kropen. Ze glimlachten alleen maar. Toen werd me

gezegd dat Zwarte Koningszwaan met me wilde spreken. 'Begrijp je hoe lang "altijd" is?' vroeg hij. 'Het is een heel, heel lange tijd. Eeuwigheid. We weten dat mensen in jouw samenleving de tijd om hun arm dragen en dingen doen volgens een bepaald schema, daarom vraag ik: begrijp je hoe lang "altijd" is?'

'Ja,' zei ik. 'Ik begrijp "altijd".'

'Goed,' vervolgde hij. 'Dan kunnen wij je iets meer vertellen. Alles in de Eenheid heeft een doel. Er bestaan geen abnormaliteiten, dingen die er niet in passen of toevalligheden. Er zijn alleen dingen die mensen niet begrijpen. Jij gelooft dat de vliegen slecht zijn, hels, en voor jou zijn ze dat ook, maar dat komt alleen omdat je niet beschikt over het noodzakelijke begrip en de wijsheid. In feite zijn het noodzakelijke, weldoende schepsels. Ze kruipen in onze oren en reinigen die van de was en het zand dat er elke nacht in komt wanneer we slapen. Heb je niet gemerkt dat we uitstekend kunnen horen? Ja, ze kruipen ook in onze neuzen om die schoon te maken.' Hij wees naar mijn neus en zei: 'Jij hebt erg kleine neusgaten, niet zo'n grote koala-neus als wij hebben. De komende dagen zal het nog veel warmer worden en dan krijg je er last van als je geen schone neus hebt. Wanneer het bijzonder heet is, moet je je mond niet opendoen om adem te halen. Als er iemand een schone neus nodig heeft, ben jij het. De vliegen kruipen over ons lichaam en hechten zich eraan vast om alles weg te halen wat we niet nodig hebben.' Hij stak zijn arm uit en vervolgde: 'Kijk maar hoe zacht en glad onze huid is, en kijk nu eens naar die van jou. We hebben nog nooit iemand gezien die, alleen door een tocht te maken, van kleur veranderde. Toen je bij ons kwam, had je één kleur, daarna werd je vuurrood, nu wordt je huid droog en je vervelt. Je wordt met de dag dunner. We kennen niemand die zijn huid op het zand achterlaat, zoals een slang. Jij hebt de vliegen nodig om je huid te reinigen en op een dag zullen we op de plaats komen waar de vliegen hun larven hebben gelegd en dan worden wij weer van een maaltijd voorzien.' Hij slaakte een diepe zucht terwijl hij me indringend aankeek en zei: 'De mens kan niet bestaan als alles wat onplezierig is, wordt verwijderd in plaats van begrepen. Wanneer de vliegen komen, geven we ons eraan over. Misschien ben je nu gereed om hetzelfde te doen.'

De eerstvolgende keer dat ik vliegen in de verte hoorde, maakte ik mijn hoofdband los die ik om mijn middel droeg. Ik keek ernaar, maar besloot dat ik zou kunnen doen wat mijn reisgenoten hadden voorgesteld. Dus de vliegen kwamen en ik vertrok. In gedachten ging ik naar New York, waar ik een heel dure schoonheidssalon bezocht. Terwijl ik mijn ogen gesloten hield, voelde ik dat iemand mijn oren en neus schoonmaakte. Ik stelde me het diploma van de assistente voor, dat achter me aan de muur hing, en voelde hoe honderden kleine wattenbolletjes mijn hele lichaam reinigden. Eindelijk gingen de insekten weg en ik kwam geestelijk weer terug in de outback. Het was waar, onder bepaalde omstandigheden is overgave absoluut het enig juiste antwoord. Ik begon me af te vragen wat er nog meer in mijn leven was waarvan ik aannam dat het verkeerd was of moeilijk, in plaats van te proberen de ware bedoeling ervan te begrijpen.

Dat ik het al die tijd zonder spiegel moest stellen, leek invloed te hebben op mijn bewustzijn. Het was net alsof ik rondliep in een capsule met kijkgaten. Ik keek voortdurend om me heen, sloeg anderen gade en lette erop hoe ze reageerden op wat ik deed of zei. Voor het eerst scheen mijn leven volkomen eerlijk te zijn. Ik kleedde me niet op een bepaalde manier, zoals dat van me werd verwacht in mijn werk, en ik gebruikte geen make-up. Mijn neus was nu minstens twaalf keer verveld. Ik hoefde niet te doen alsof, er bestond geen ego dat vocht om attentie. In de groep werd niet geroddeld en er was ook niemand die probeerde iemand anders te overtroeven.

Zonder een spiegel die me met een schok tot de werkelijkheid zou terugbrengen, kon ik me mooi voelen. Dat was ik natuurlijk niet, maar ik voelde me wel zo. De aboriginals namen me zoals ik was. Ze lieten me merken dat ik bij hen hoorde, dat ik uniek was en geweldig. Ik leerde hoe het voelde om onvoorwaardelijk geaccepteerd te worden.

Ik legde me ter ruste op de matras van zand, terwijl een rijmpje uit het sprookje van Sneeuwwitje, lang geleden gehoord maar nooit vergeten, bij me opkwam: Spiegeltje, spiegeltje aan de wand, wie is de schoonste in het land?

10

Sieraden

Hoe verder we liepen, hoe heter het werd. Naarmate het heter werd, leek de vegetatie en alle leven te verdwijnen. We liepen door een gebied dat vrijwel uitsluitend bestond uit zand, waarin slechts hier en daar een paar lange, droge, dode stengels in groepjes bijeen stonden. In de verte was niets te zien, geen bergen, geen bomen, niets. Het was een dag van zand, zand, en nog eens zand en zanderig onkruid.

Vanaf die dag namen we een vuurstok mee. Dat is een tak die aan het gloeien wordt gehouden door hem zachtjes heen en weer te bewegen. In de woestijn, waar plantengroei als een schat wordt gekoesterd, worden allerlei kunstgrepen toegepast om te kunnen overleven. De vuurstok werd gebruikt om het kampvuur voor de nacht aan te steken wanneer droog gras schaars was. Leden van de groep verzamelden ook de weinige hoopjes mest die door woestijndieren waren achterlaten, speciaal die van de dingo's. Het bleek prima reukloze brandstof te zijn.

Ik werd gewaar dat iedereen meer dan één talent bezit. Deze mensen wijden hun leven aan het ontdekken van zichzelf als muzikant, genezer, kok, verhalenverteller enzovoort; ze bevorderen zichzelf en krijgen nieuwe namen. Mijn eerste ervaring bij het zoeken naar mijn talenten binnen de groep was dat ik mezelf begon aan te duiden als Mestverzamelaar.

Die dag liep een knap jong meisje naar een bosje onkruid en kwam terug met een betoverende vondst: een prachtige gele bloem aan een lange stengel. Ze wond de stengel om haar hals, zodat de bloem aan de voorkant hing als een kostbaar sieraad. De stamleden gingen om haar heen staan en zeiden tegen haar dat ze er schitterend uitzag en dat ze iets heel moois had gevonden. De hele dag door kreeg ze complimentjes en ze straalde, omdat ze zich extra aantrekkelijk voelde.

Terwijl ik naar haar keek, dacht ik terug aan een voorval in mijn praktijk, kort voordat ik uit de Verenigde Staten vertrok. Er kwam een patiënte bij me op het spreekuur, die aan een ernstig stress-syndroom leed. Toen ik haar vroeg wat daarvan de oorzaak kon zijn, vertelde ze me dat de verzekeringsmaatschappij de premie voor een van haar diamanten halskettingen had verhoogd met achthonderd dollar. Ze had iemand gevonden in New York City die een exact duplicaat van haar ketting kon vervaardigen met gebruikmaking van imitatiestenen. Ze zou erheen vliegen, wachten tot het gereed was en dan terugkomen en haar diamanten in een bankkluis in bewaring geven. Dit zou de noodzaak van een hoge premie niet wegnemen, de sieraden zouden evengoed verzekerd moeten worden, omdat zelfs de beste bankkluis geen garantie is voor absolute veiligheid, maar de premie zou wel aanzienlijk lager zijn.

Ik vroeg haar naar het jaarlijkse grote bal dat binnenkort zou plaatsvinden en ze zei dat de imitatie tegen die tijd klaar zou zijn en dat ze die dan zou dragen.

Aan het eind van onze woestijntocht van die dag legde het meisje van het Echte Volk de bloem op de grond om haar terug te geven aan Moeder Aarde. De bloem had aan haar doel beantwoord. Het meisje was erg dankbaar en had de herinnering aan alle aandacht die ze die dag had ontvangen, opgeslagen in haar geheugen. Het was de bevestiging dat ze een aantrekkelijk iemand was. Ze was echter niet gehecht aan het betrokken voorwerp. Dat zou verwelken, sterven en tot humus vergaan, en dan was de kringloop rond.

Ik dacht aan de patiënte en keek daarna naar het meisje van de stam. Haar sieraad had een betekenis, de juwelen bij ons vertegenwoordigden slechts financiële waarde. Ergens op deze wereld hechtten mensen op de verkeerde manier waarde aan bepaalde zaken, dacht ik, maar ik geloofde niet dat het deze primitieve mensen waren, in de zogeheten achtergebleven gebieden van Australië.

II

Jus

Het was stil in de lucht. Ik voelde het haar in mijn oksels groeien en de eeltlaag onder mijn voeten dikker worden naarmate de dieper liggende huidlagen uitdroogden. Er werd opeens halt gehouden. We bleven staan waar twee gekruiste stokken ooit een graf hadden aangeduid. Het kruis stond niet meer overeind; de verbinding was weggerot. Nu lagen er alleen nog twee oude takken, een lange en een korte, op de grond. Gereedschapmaker raapte ze op en haalde een smalle reep huid uit zijn draagtas. Hij wikkelde de strook dierlijk weefsel met beroepsmatige precisie om de stokken en repareerde het kruis. Een aantal stamleden zocht grote stenen op die in de buurt verspreid lagen en legden deze in een ovaal op het zand. Toen werd het kruis weer in de grond vastgezet. 'Is dit een graf van een stamlid?' vroeg ik aan Ooota.

'Nee,' antwoordde hij. 'Er ligt een mutant begraven. Het graf is hier al vele, vele jaren, sinds lang vergeten door jouw mensen en waarschijnlijk ook door de overlevende die het heeft gedolven.'

'Waarom hebben jullie het dan hersteld?' wilde ik weten.

'Waarom niet? Jullie gewoonten begrijpen we niet, aanvaarden we niet en accepteren we niet, maar we oordelen evenmin. We eerbiedigen jullie positie. Jullie zijn waar je verondersteld wordt te zijn, gezien de keuzes die jullie in het verleden konden maken en jullie huidige vrije wil om beslissingen te nemen. Deze plaats heeft voor ons dezelfde betekenis als andere heilige plaatsen. Het is een plek om even bij stil te staan, om te overpeinzen, om onze verwantschap met de Goddelijke Eenheid en alle leven te bevestigen. Hier ligt niets meer, zelfs geen gebeente. Maar mijn volk respecteert jouw volk. We zegenen de plek, daarna gaan we weer verder en worden betere mensen, omdat we hierlangs gekomen zijn.'

Die middag hield ik me bezig met overpeinzingen. Ik dacht na over mezelf en ziftte het puin van mijn verleden. Het was smerig werk, angstaanjagend en zelfs gevaarlijk. Er waren tal van oude gewoonten en oude overtuigingen die ik had verdedigd met het zwaard van gevestigde belangen. Zou ik gestopt zijn om een joods of boeddhistisch graf te herstellen? Ik herinnerde me dat ik ooit kwaad was geworden, toen ik in een verkeersopstopping was beland die werd veroorzaakt doordat een tempel leegstroomde. Zou ik nu het begrip kunnen opbrengen om me gematigd op te stellen, geen oordeel te vellen en anderen hun eigen weg te laten gaan, met mijn zegen? Ik begon er iets van te begrijpen: we geven automatisch aan iedereen die we op onze weg tegenkomen, maar we kiezen wàt we geven. Onze woorden, onze daden zijn een bewuste voorbereiding op het leven dat we wensen te leiden.

Plotseling was er een windvlaag. De luchtstroom likte langs mijn lichaam, schurend als de tong van een kat over mijn toch al mishandelde huid. Het duurde slechts enkele seconden, maar op de een of andere manier wist ik dat het eerbiedigen van tradities en waarden die ik niet begreep en waar ik het niet mee eens was, niet gemakkelijk zou zijn maar me wel ontzaglijke voordelen zou brengen.

Die avond zaten we bij het schijnsel van de volle maan samen rond het vuur. Een oranje gloed kleurde onze gezichten, terwijl het gesprek geleidelijk aan op het onderwerp voedsel terechtkwam. Het was een open dialoog. Ze vroegen me van alles en ik gaf overal zo goed mogelijk antwoord op. Ik vertelde over appels, hoe wij door kruising nieuwe rassen kweken, appelmoes maken en oma's eigen recept voor appeltaart. Ze beloofden dat ze wilde appels voor me zouden zoeken, dan zou ik die kunnen proeven. Het werd me duidelijk dat het Echte Volk feitelijk vegetarisch was. Eeuwenlang hebben ze naar hartelust de wilde vruchten uit de natuur gegeten: yams, bessen, noten en zaden. Af en toe werden daar vis en eieren aan toegevoegd, wanneer die op hun weg verschenen met de bedoeling om deel uit te maken van het lichaam van de aboriginal. Iets met 'een gezicht' eten ze liever niet. Ze hebben altijd graan gemalen, maar pas toen ze van de kust naar de outback werden verdreven, werd het eten van vlees noodzakelijk.

Ik beschreef een restaurant en hoe het eten daar wordt opgediend op gedecoreerd serviesgoed. Toevallig viel het woord 'jus'. Dat was verwarrend. Waarom zou je vlees bedekken met een saus? Ik beloofde het te demonstreren. Natuurlijk was er niet de juiste pan voor beschikbaar. Onze manier van koken bestond uit het bereiden van hapklare stukjes vlees, gewoonlijk op het zand neergelegd nadat de kolen naar één kant waren geschoven. Soms werden grotere stukken aan spiezen gestoken, die op langere, gekruiste stokken rustten. Nu en dan werd een soort stoofpot gemaakt van vlees, groenten, kruiden en iets van het kostbare water. Ik ging op zoek en vond een gladde slaaphuid zonder vacht. Met behulp van Naaivrouw bogen we de zijkanten omhoog. Ze had altijd een speciaal zakje om haar hals hangen waar onder andere benen naalden en pezen in zaten die als garen werden gebruikt. Ik smolt dierlijk vet in het midden van de huid, en toen dit vloeibaar was geworden, voegde ik er wat meel aan toe. Daar ging zout gras bij, gekneusde peperzaden en ten slotte water. Nadat de saus gebonden was, goot ik die over de stukjes vlees die we al eerder hadden bereid en die afkomstig waren van een eigenaardig dier, een soort gerimpelde hagedis. De jus leverde nieuwe gezichtsuitdrukkingen en commentaar op bij iedereen die het probeerde. Ze waren erg tactvol en op dat moment ging ik in gedachten zo'n vijftien jaar terug in de tijd.

Ik deed mee aan de voorverkiezingen voor Mrs. America en kwam tot de ontdekking dat een onderdeel van de nationale wedstrijd werd gevormd door het bedenken van een origineel recept voor een stoofschotel. Twee weken lang maakte ik elke dag een stoofschotel. Veertien opeenvolgende avondmaaltijden in ons huis bestonden uit het eten en beoordelen van de smaak, het uiterlijk en de samenstelling van de schotel van de dag, op zoek naar een kanshebber. Mijn kinderen weigerden nooit te eten, maar ze werden er weldra heel bedreven in om me tactvol te vertellen wat ze ervan vonden. Ze moesten heel wat wonderlijke combinaties eten om hun moeder te steunen. Toen ik de titel van Mrs. Kansas won, juichten ze allebei: 'We zijn geslaagd voor het diploma stoofpot-proeven!'

Hier zag ik dezelfde uitdrukking op de gezichten van mijn reisgenoten. We hadden plezier in bijna alles wat we deden en ook dit was weer een bron van vermaak. Omdat hun spirituele zoektocht zo overheersend is in alles wat ze doen, verbaasde het me dan ook niet toen enkelen als commentaar gaven hoe symbolisch jus was voor de maatschappij van de mutant. In plaats van in waarheid te leven, laten mutanten toe dat omstandigheden en voorwaarden de universele wet begraven onder een mengsel van gemakzucht, materialisme en onzekerheid.

Het boeiende aan hun opmerkingen en waarnemingen was dat ik nooit het gevoel had dat ik werd bekritiseerd of beoordeeld. Ze zouden nooit verklaren dat mijn volk het verkeerd deed en hun stam goed. Het was meer zoals een liefhebbende volwassene toekijkt hoe een kind worstelt om zijn linkerschoen aan de rechtervoet te krijgen. Wie zal zeggen of je niet kilometers lang kunt lopen met je schoenen aan de verkeerde voet? Misschien schuilt er wel een waardevolle les in eeltknobbels en blaren! Maar voor een ouder, wijzer mens lijkt het een onnodige vorm van lijden.

We spraken ook over verjaardagstaarten, afgewerkt met een heerlijke laag glazuur. Ik vond hun analogie van het glazuur buitengewoon sterk. Het scheen te symboliseren hoeveel tijd er in de honderd levensjaren van een mutant wordt verspild aan kunstmatige, oppervlakkige, tijdelijke, decoratieve, zoete bezigheden. We besteden maar zo weinig feitelijke momenten van ons leven aan het ontdekken van wie we zijn, en aan ons eeuwig leven.

Toen ik het over verjaardagsfeestjes had, luisterden ze aandachtig. Ik vertelde over de taart, de liedjes en de cadeaus, en elk jaar dat we ouder worden een kaarsje méér.

'Waarom zou je dat doen?' wilden ze weten. 'Voor ons betekent een viering iets bijzonders. Er is niets bijzonders aan ouder worden. Er is geen inspanning voor nodig. Het gebeurt gewoon!'

'Als jullie niet vieren dat je ouder wordt,' zei ik, 'wat vieren jullie dan?'

'Beter worden,' was het antwoord. 'We vieren feest als we dit jaar een beter, verstandiger mens zijn dan het voorgaande. Je bent zelf de enige die dat kan weten, dus jíj zegt tegen de anderen wanneer het tijd is voor een feest.' Dat leek me iets om te onthouden.

Het is werkelijk verbazingwekkend hoeveel voedzaam voedsel er in het wild voorhanden is en hoe het zich aandient wanneer dat nodig is. In droge streken die ongeschikt zijn voor enige begroeiing, bedriegt de schijn. In de onvruchtbare aarde liggen zaden met een heel dik vlies. Wanneer het regent, ontkiemen de zaden en gaat het land er volkomen anders uitzien. Toch hebben de bloemen binnen enkele dagen de cyclus van hun bestaan voltooid. Dan verstrooit de wind de zaden en krijgt het land weer zijn ruige, uitgedroogde aanzien.

Op verschillende plekken in de woestijn, in het gebied dat dichter bij de kust ligt en in de noordelijke tropischer zones, genoten we van stevige maaltijden door een bepaald soort bonen te gebruiken. We vonden vruchten en heerlijke honing

voor onze thee van berkebast. We schilden ook eens papier-
dunne bast van de bomen en gebruikten die om ons te beschermen, om voedsel in te wikkelen en om erop te kauwen.
De bast bezit aromatische eigenschappen die verlichting
brengen bij verkoudheid, hoofdpijn en slijmvliesontstekin-
gen. Veel struiken hebben bladeren die medicinale oliën bevatten waarmee bacteriële aandoeningen kunnen worden be-
streden. Ze werken als middel om het lichaam te bevrijden van
darminfecties en parasieten. Latex, een vloeistof in sommige
plantestengels en bepaalde bladeren, verwijdert wratten, lik-
doorns en eeltplekken. Er zijn zelfs alkaloïden te vinden, zoals
kinine. Aromatische planten worden fijngewreven en in water
geweekt tot de vloeistof van kleur verandert. Daarna wordt ze
gebruikt om rug en borst mee in te wrijven. Bij verhitting kan
de damp worden ingeademd. Dat schijnt het bloed te zuive-
ren, de lymfeklieren te stimuleren en immuniserend te werken. Sap van een kleine, op een wilg lijkende boom, heeft veel
kenmerken van aspirine. Het wordt gegeven bij inwendige
pijn, zowel bij pijn die wordt veroorzaakt door een verstuiking
of een breuk als ter verlichting van niet te hevige spier- en ge-
wrichtsklachten, en het werkt ook goed bij oppervlakkige ver-
wondingen. Andere soorten bast worden gebruikt bij inge-
wandsstoornissen en de gom van sommige bomen wordt,
opgelost in water, ingenomen als hoestsiroop.
Over het geheel genomen is juist deze stam aboriginals buitengewoon gezond. Later kwam ik erachter dat bepaalde
bloemblaadjes die ze aten, werkzaam waren tegen de tyfus-
bacterie. Ik vroeg me af of hun afweermechanisme hierdoor
misschien werd gestimuleerd, zoals dat bij ons met vaccins
gebeurt. Ik weet dat de Australische stuifzwam een substantie
tegen kanker bevat, calvacine, die op dit moment wordt getest. Ook halen de oerbewoners acronycine, een werkzame
stof tegen tumoren, uit boombast.
Eeuwen geleden ontdekten ze al de vreemde eigenschappen
van de wilde kangoeroeappel. De moderne medische weten-

schap gebruikt die als bron van steroïde solasodine voor orale anticonceptiemiddelen. De Stamoudste legde me uit dat ze ervan overtuigd zijn dat nieuwe levens bewust ter wereld gebracht moeten worden, dat ze welkom moeten zijn en dat men van ze moet houden. Vanaf de oertijd is het scheppen van nieuw leven voor het Echte Volk altijd een doordachte, creatieve daad geweest. De geboorte van een baby betekent dat ze een ziel van een aards lichaam hebben voorzien. Er wordt niet verwacht, zoals bij ons, dat het lichaam van een pasgeborene altijd vlekkeloos is. Het is het onzichtbare sieraad van binnen, dat vlekkeloos is en dat de zielen die samenwerken in hun streven naar vooruitgang, zowel hulp geeft als hulp van hen ontvangt.

Ik begreep dat als ze een smeekbede zouden opzenden dat die zou zijn voor het kind dat niet gewenst is, niet voor het ongeboren kind. Alle zielen die ervoor hebben gekozen een menselijk bestaan te leiden, zullen geëerd worden, als het niet door één bepaalde ouder is en onder juist die omstandigheden, dan door een ander, in een andere tijd. De Stamoudste vertrouwde me toe dat het willekeurige seksuele gedrag bij sommige stammen, zonder acht te slaan op de geboorte die eruit voort kan komen, misschien wel de grootste stap terug was die de mensheid had gedaan. Ze geloven dat de geest de foetus binnen gaat wanneer die door te bewegen de wereld op de hoogte brengt van zijn aanwezigheid. Voor hen is een doodgeboren kindje een lichaam waar geen geest in huisde.

Het Echte Volk heeft ook een wilde tabaksplant ontdekt. De bladeren worden bij bijzondere gelegenheden in een pijp gerookt. Ze beschouwen tabak in elk geval als een zeldzaam en uniek genotmiddel, omdat het niet overal te vinden is, omdat het een gevoel van euforie kan veroorzaken en omdat het verslavend kan werken. Tabak wordt symbolisch gebruikt bij het begroeten van bezoekers of aan het begin van een bijeenkomst. Er is een overeenkomst tussen hun respect voor tabak en de tradities van de Amerikaanse Indianen. Mijn vrienden

spraken vaak over de aarde waarop we liepen, me eraan herin-
nerend dat die het stof van onze voorouders is. Ze zeggen dat
dingen niet echt doodgaan, ze veranderen slechts. Het menselijk lichaam keert terug tot de aarde om de planten te voeden,
die op hun beurt de enige bron zijn van de zuurstof die de
mens inademt. De aboriginals bleken veel beter op de hoogte
te zijn van de kostbare zuurstofmoleculen die elk levend wezen nodig heeft, dan de doorsnee Amerikaan.

De leden van de stam kunnen buitengewoon scherp zien. Het
pigment rutine, dat in verschillende in hun werelddeel groeiende planten voorkomt, is een stof die in de oogheelkunde
wordt gebruikt in geneesmiddelen voor de behandeling van
de tere bloedvaten in het oog. Het blijkt dat de oermensen in
de duizenden jaren waarin ze Australië voor zich alleen hadden, geleerd hebben hoe voedsel het lichaam beïnvloedt.

Het probleem bij het eten van voedsel dat in het wild groeit, is
het grote aantal giftige soorten. De stamleden weten onmiddellijk wanneer iets niet eetbaar is. Ze hebben geleerd hoe ze
vergif kunnen winnen, maar ze zeiden dat het buitengewoon
triest was dat sommige van de afgescheiden stammen van hun
ras, die vervallen zijn tot agressief gedrag, het gif gebruiken
bij hun strijd tegen menselijke vijanden.

Toen ik lang genoeg met de groep mee was getrokken, aan-
vaardden ze dat mijn vragen noodzakelijk waren voor mijn eigen persoonlijke begrip. Ik roerde het onderwerp kanniba-
lisme aan. Het kwam voor in de geschiedenisboeken en ik had
gehoord dat mijn Australische vrienden aboriginals scherts-
end aanduidden als kannibalen die zelfs hun eigen baby's
opaten. Was dat waar?

Ja. Sinds de oertijd hebben mensen met alles geëxperimen-
teerd. Zelfs hier op dit continent was het niet mogelijk om hen
daarvan te weerhouden. Er waren stammen aboriginals geweest met koningen, stammen met vrouwelijke aanvoerders,
stammen die mensen van een andere groep stalen en andere
die mensenvlees aten. Mutanten doden en lopen dan weg, het

lichaam achterlatend om tot ontbinding over te gaan. Kannibalen doodden en gebruikten het dode lichaam als voedsel. Het gedrag van de ene groep is niet beter of slechter dan dat van de andere. Het doden van een mens, of dat nu gebeurt uit oogmerk van bescherming, wraak, gemakzucht of voedsel, komt allemaal op hetzelfde neer. Elkaar niet doden, is wat het Echte Volk onderscheidt van gemuteerde menselijke schepsels.

'In oorlog bestaat geen moraliteit,' zeiden ze. 'Maar kannibalen doodden op één dag nooit meer dan ze konden eten. In jullie oorlogen worden in enkele minuten duizenden mensen gedood. Misschien zou het de moeite waard zijn aan je leiders voor te stellen dat in geval van oorlog beide partijen instemmen met een strijd van vijf minuten. Daarna kunnen alle ouders naar het slagveld komen om de stoffelijke resten van hun kinderen op te halen, ze mee naar huis te nemen, ze te begraven en om hen te rouwen. Wanneer dat voorbij is, zou men opnieuw al dan niet een strijd van vijf minuten overeen kunnen komen. Het is moeilijk om iets zinnigs te zeggen over iets dat volkomen zinloos is.'

Toen ik die avond ging liggen op de dunne slaaphuid die mijn mond en ogen scheidde van de stenige grond, bedacht ik dat de mensheid in veel opzichten heel ver is gekomen, maar dat we in andere opzichten erg zijn afgedwaald.

12

Levend begraven

Communicatie was geen eenvoudige zaak. Het was moeilijk om de woorden die de stam gebruikte, uit te spreken. In de meeste gevallen waren ze erg lang. Ze hadden het bijvoorbeeld over een stam die ze *Pitjantjatjara* noemden en een andere die *Yankuntjatjara* werd genoemd. Veel woorden leken hetzelfde, tot ik leerde uiterst scherp te luisteren. Ik merkte dat verslaggevers uit diverse landen het niet eens zijn over de spelling van bepaalde woorden van de aboriginals. Sommigen gebruiken de letters b, dj, d en g, waar anderen dezelfde woorden schrijven met p, t, tj en k.

Er kan ook niet gezegd worden dat het een goed is en het ander verkeerd, omdat de mensen zelf geen alfabet gebruiken. Het is een patstelling voor degenen die erover willen discussiëren. Mijn probleem was dat de stamleden met wie ik de tocht maakte, neusklanken gebruikten die voor mij erg moeilijk na te bootsen waren. Om de klank 'ny' voort te brengen leerde ik om mijn tong tegen de achterkant van mijn tanden te duwen, zo ongeveer als wanneer wij het Engelse woord 'Indian' uitspreken. Er is ook een geluid dat wordt gevormd door de tong omhoog te brengen en die snel naar voren te laten flitsen. Wanneer de stamleden zingen, zijn de klanken vaak heel zacht en melodieus, maar af en toe komt er onverwachts een hard geluid tussendoor.

In plaats van één woord voor zand hebben ze er wel meer dan twintig, die samenstellingen en soorten uitdrukken en de plaats waar het zand in de woestijn wordt aangetroffen. Sommige woorden zijn gemakkelijk, zoals *kupi*, dat water betekent.

Ze schenen het leuk te vinden om mijn woorden te leren en slaagden er beter in om ze uit te spreken dan ik dat met hùn woorden deed. Omdat ik hun gast was, probeerde ik te spreken op de manier die zij het prettigst vonden. In de geschiedenisboeken die ik van Geoff had gekregen, stond dat toen de eerste Engelse kolonie in Australië werd gevestigd, de aboriginals tweehonderd verschillende talen spraken en zeshonderd dialecten. Er werd niets vermeld over het gebruik van telepathie of gebarentaal. Ik paste een simpele vorm van gebarentaal toe. Deze manier van communicatie werd overdag het meest gebruikt, omdat ze dan kennelijk mededelingen aan elkaar doorgaven of verhalen vertelden. Daarom was het beleefder om aan iemand die naast me liep iets met een handgebaar duidelijk te maken dan hun gedachtenwisselingen te verstoren met een uitgesproken zin. We gebruikten het algemeen gangbare teken voor 'kom hier' door de vingers naar ons toe te bewegen, de hand met de palm naar voren op te steken voor 'stop' en de vingers op de lippen te leggen wanneer om stilte werd gevraagd. Tijdens de eerste weken werd me vaak gevraagd om stil te zijn. Geleidelijk aan leerde ik niet zoveel te vragen en af te wachten tot ze me uit zichzelf dingen vertelden.

Op een keer veroorzaakte ik onder het lopen een golf van gelach bij de groep. Ik krabde me als reactie op een insektenbeet. Ze brulden van het lachen, trokken gekke gezichten en imiteerden mijn gebaar. De beweging die ik had gemaakt bleek te betekenen dat ik een krokodil had waargenomen. We bevonden ons op een afstand van minstens driehonderdvijftig kilometer van het dichtstbijzijnde moeras!

We waren al een paar weken samen op weg, toen ik me ervan bewust werd dat er, telkens wanneer ik me wat verder bij de groep vandaan waagde, ogen op me waren gericht. Hoe donkerder de nacht was, des te groter de ogen schenen te worden. Ten slotte waren de gedaantes zo duidelijk te onderscheiden, dat ik kon zien wat het waren. Een meute wilde honden volgde ons spoor.

Ik holde terug naar het kamp, voor het eerst echt angstig, en rapporteerde mijn ontdekking aan Ooota. Op zijn beurt vertelde hij het aan de Stamoudste. Alle stamleden die dicht bij ons stonden, kwamen naar ons toe en deelden onze bezorgdheid. Ik wachtte op woorden, omdat ik nu wist dat die bij het Echte Volk niet automatisch worden uitgesproken; ze denken altijd na voordat ze iets zeggen. Het duurde zeker tien seconden voordat Ooota de boodschap overbracht. Het probleem werd veroorzaakt door mijn geur. Ik begon onaangenaam te ruiken voor mijn omgeving.

Het was waar. Ik rook mezelf en zag de anderen af en toe naar me kijken. Helaas had ik er geen oplossing voor. Water was zo schaars, dat we het niet konden verspillen om een bad te nemen. Er was trouwens ook niets om in te baden. Mijn reisgenoten met hun zwarte huid verspreidden niet zo'n vieze lucht als ik. De voornaamste oorzaak was volgens mij het voortdurend schroeien en vervellen van mijn huid en de energie die ik verbruikte voor de verbranding van de in mijn lichaam opgeslagen giftige vetten. Met de dag verloor ik gewicht. Het ontbreken van deodorant of toiletpapier droeg er natuurlijk ook toe bij, en dan was er nog iets. Ik zag de stamleden kort na het eten de woestijn in gaan om zich te ontlasten, hetgeen bepaald niet gepaard ging met de sterke lucht zoals ik die uit onze samenleving kende. Na vijftig jaar eten in onze beschaafde wereld was er tijd voor nodig om alle giftige stoffen aan mijn lichaam te onttrekken, maar ik had het gevoel dat het mogelijk was als ik maar lang genoeg in de outback bleef.

Nooit zal ik vergeten hoe de Stamoudste me de situatie uitlegde en met een oplossing kwam. Voor de stam was het geen probleem; ze hadden me geaccepteerd in voor- en tegenspoed. Hun bezorgdheid gold de arme dieren die erdoor in verwarring werden gebracht. Ooota zei dat de dingo's dachten dat de groep een stuk bedorven vlees met zich mee droeg en dat maakte hen dol. Ik moest erom lachen, want het was een juiste omschrijving van de stank: die van een bedorven hamburger die in de zon ligt.

Ik zei dat ik elke hulp die ze konden bieden, graag zou accepteren. Op het heetste moment van de volgende dag groeven we gezamenlijk een kuil, onder een hoek van vijfenveertig graden, waarin ik moest gaan liggen. Daarna dekten ze me helemaal af met aarde, zodat alleen mijn hoofd er nog boven uitstak. Er werd voor schaduw gezorgd en zo moest ik ongeveer twee uur blijven liggen. Het is een hele gewaarwording om volkomen hulpeloos en zonder dat je een vin kunt verroeren, begraven te zijn. Als ze waren weggelopen, was ik als een skelet achtergebleven. Eerst was ik bang dat een of andere nieuwsgierige hagedis, slang of woestijnrat over mijn gezicht zou lopen. Ik besefte voor het eerst van mijn leven hoe iemand die verlamd is zich moet voelen: je hersenen geven signalen aan armen en benen om te bewegen en die reageren er niet op. Na enige tijd lukte het om me te ontspannen. Ik deed mijn ogen dicht en concentreerde me op het uit mijn lichaam drijven van de gifstoffen en het opnemen van de heerlijk koele, verfrissende, reinigende elementen uit de grond. Zo ging de tijd sneller voorbij. Het werkte! De stank bleef in de grond achter.

13

Genezing

De regentijd brak aan. Vandaag ontdekten we een wolk die korte tijd in zicht bleef. Het was een bijzondere, heel welkome aanblik. Af en toe konden we zelfs in de grote schaduw die over ons heen viel, lopen, zoals een mier onder de zool van een laars. Het was leuk om te zien dat deze volwassenen het belangrijke gevoel voor plezier maken uit hun kindertijd nog niet verloren hadden. Ze renden vooruit, onder de schaduw vandaan het felle zonlicht in en daagden de wolk uit door hem ermee te plagen dat de benen van de wind zo langzaam liepen. Dan kwamen ze weer in de schaduw lopen en vertelden mij dat de Goddelijke Eenheid de mens die geweldige gave van koele lucht schonk. Het was een heel vrolijke en speelse dag. Aan het eind van de middag vond er echter een tragedie plaats, tenminste op dat moment leek het mij een tragische gebeurtenis.

Een jonge man van midden in de dertig, Grote Stenenjager, was een van de leden van de stam. Hij bezat de gave kostbare edelstenen te kunnen vinden. Het woord 'Grote' had hij eerst onlangs aan zijn naam toegevoegd, omdat hij in de loop der jaren een bijzondere handigheid had ontwikkeld in het vinden van prachtige grote opalen en zelfs goudklompjes in de mijngebieden, nadat de ontginningsmaatschappijen het land hadden verlaten. Het Echte Volk vond edelmetaal oorspronkelijk iets overbodigs. Je kon het niet eten en in een land zonder markten kon je er niets eetbaars voor kopen. Het werd alleen gewaardeerd om de schoonheid en het nut dat het zou kunnen opleveren. Mettertijd kwamen de aboriginals erachter dat het voor de blanke mens een kostbare zaak was. Dat was nog verbazingwekkender dan zijn merkwaardige opvatting dat iemand land kon bezitten en verkopen. Edelstenen leveren geld op voor de verkenner van de stam, wanneer deze een enkele keer naar de stad gaat en met een verslag terugkomt. Grote Stenenjager waagde zich nooit bij een commercieel bedrijf waar nog gewerkt werd, vanwege de gruwelijke verhalen over stamgenoten die gedwongen werden om in de mijnen te werken. Ze gingen erin op een maandag en kwamen pas eind van de week weer tevoorschijn. Vier van de vijf overleefden het niet. Gewoonlijk werden ze van een of ander misdrijf beschuldigd en gedwongen om te werken als onderdeel van hun straf. Er moest ook een bepaalde opbrengst worden behaald en vaak werd van een vrouw en kinderen geëist dat ze met de gevangene mee werkten; drie mensen konden misschien net het quotum halen dat voor één arbeider was vastgesteld. Het scheen heel gemakkelijk te zijn om een of andere overtreding te vinden die elk vonnis verlengde. Ontsnappen was niet mogelijk en deze degradatie van menselijk leven en menselijke waardigheid was, uiteraard, geheel volgens de wet.

Grote Stenenjager liep over een richel, toen de grond plotseling onder hem wegzakte en hij van de rots viel op een stenig plateau, bijna zeven meter lager. Het terrein waar we liepen bestond uit grote lagen natuurlijk gepolijst graniet, platte leisteen en velden met kiezelstenen.

Langzamerhand had zich een flinke eeltlaag onder mijn voeten gevormd, bijna zo dik als de hoefachtige laag onder de voeten van mijn reisgenoten, maar zelfs deze laag dood weefsel was niet dik genoeg om met gemak over de puntige stenen te lopen. Ik dacht aan mijn arme voeten. Thuis had ik een kast vol schoenen, waaronder bergschoenen en stevige stappers.

Ik hoorde de kreet van Grote Stenenjager toen hij door de lucht tuimelde. We renden met zijn allen naar de rotsrand en keken omlaag. Hij lag ineengedoken en er werd al een donkere plas bloed zichtbaar. Een aantal stamleden rende naar beneden de kloof in en bracht hem gezamenlijk omhoog. Als hij naar boven was gezweefd, had het niet sneller kunnen gaan. Met al die handen onder hem leek het wel of hij op een lopende band lag.

Toen hij op een vlakke rotsplaat was neergelegd, konden we zien wat er met hem aan de hand was. Hij had een ernstige gecompliceerde breuk opgelopen tussen zijn rechterknie en enkel. Er stak ongeveer vijf centimeter bot door de huid, die de kleur had van melkchocolade, naar buiten als een enorme, lelijke slagtand. Onmiddellijk deed iemand zijn hoofdband af en wikkelde die om het bovenbeen. Medicijnman en Geneesvrouw gingen ieder aan een kant van de gewonde staan, terwijl andere stamleden het kamp voor de nacht begonnen op te zetten.

Voetje voor voetje schoof ik naar voren tot ik naast de languit liggende gewonde stond en vroeg of ik mocht toekijken. Medicijnman bewoog zijn handen op enkele centimeters afstand langs het gewonde been heen en weer in een vloeiende beweging, eerst evenwijdig, daarna met een hand van boven naar beneden en de andere in omgekeerde richting. Geneesvrouw glimlachte tegen me en zei iets tegen Ooota, die op zijn beurt haar woorden aan me overbracht.

Hij verklaarde: 'Dit is voor jou. Er is ons gezegd dat jij bij je eigen volk de gave hebt van een geneesvrouw.'

'Ja, ik geloof van wel,' antwoordde ik. Ik had nooit veel op gehad met het idee dat genezing uit de trucendoos van de dokter komt, omdat ik jaren geleden, toen ik als gevolg van polio met mijn eigen gezondheidsproblemen worstelde, had geleerd dat genezing maar één oorsprong heeft. Dokters kunnen het lichaam helpen door te verwijderen wat er niet in hoort, door medicijnen te injecteren, door gebroken botten te zetten en te spalken, maar dat wil nog niet zeggen dat het lichaam ook zal genezen. Eerlijk gezegd weet ik zeker dat er nergens en nooit, in welk land en op welk tijdstip in de geschiedenis dan ook, een dokter is geweest die ooit iets genezen heeft. Bij iedereen komt genezing van binnenuit. Dokters zijn hoogstens degenen die over een individueel talent beschikken dat ze hebben ontwikkeld, en die zo bevoorrecht zijn dat ze de gemeenschap kunnen dienen door te doen wat ze het beste kunnen en wat ze graag doen. Dit was echter niet het moment voor een uitgebreide discussie. Ik zou de bewoording die Ooota had gebruikt, accepteren en het eens zijn met de oermensen die vonden dat ik, in mijn samenleving, werd beschouwd als een geneesvrouw.

Ze legden uit dat de op- en neergaande beweging van de handen over de bewuste plek, zonder die aan te raken, diende om de oorspronkelijke vorm van het gewonde been aan te geven. Dat zou zwelling gedurende de genezingsperiode voorkomen. Medicijnman hielp het geheugen van het bot om zich te herinneren hoe het er in gezonde toestand uitzag. Dit nam de shock weg die was ontstaan toen het in tweeën brak en uit de positie werd gerukt waarin het zich meer dan dertig jaar had bevonden. Ze 'praatten' tegen het bot.

Vervolgens begonnen de drie hoofdrolspelers in dit drama – Medicijnman aan de voeten van de gewonde, Geneesvrouw geknield naast hem en de patiënt zelf, die op zijn rug op het aardoppervlak lag – tegelijk te spreken alsof ze een gebed opzegden. Medicijnman omvatte de enkel met beide handen. Hij leek de voet niet werkelijk aan te raken of eraan te trekken. Geneesvrouw deed hetzelfde bij de knie. Hun woorden werden ritmisch opgezegd of gezongen. Ze deden dat alle drie op een andere manier. Toen kwam er een moment waarop ze tegelijkertijd hun stem verhieven en iets riepen. Ze moeten een of andere vorm van tractie hebben toegepast, hoewel ik niet kon zien dat er echt getrokken werd. Het bot gleed gewoon terug in het gat waar het uit had gestoken. Medicijnman hield de gerafelde huid bij elkaar en gebaarde naar Geneesvrouw, die nu de vreemde, lange, holle pijp die ze altijd bij zich droeg begon los te maken.

Weken daarvoor had ik aan Geneesvrouw gevraagd wat de vrouwen deden tijdens hun maandelijkse periodes. Ze had me toen verband laten zien dat gemaakt was van rietjes, stro en zachte vogelveertjes. Daarna zag ik van tijd tot tijd dat een vrouw de groep verliet en alleen de woestijn in liep om het verband te begraven, op dezelfde manier als we dat dagelijks met onze ontlasting deden. Af en toe had ik echter een vrouw zien terugkomen met iets in haar hand wat ze aan Geneesvrouw gaf. Die maakte dan het uiteinde van de lange pijp die ze droeg open. De pijp bleek gevoerd te zijn met de bladeren van de planten die ze gebruikten om de blaren en sneden van mijn voeten en mijn door de zon verbrande huid te genezen. Geneesvrouw stopte het mysterieuze iets in de pijp. De enkele keer dat ik er dicht bij stond, had ik een vieze lucht geroken. Ten slotte kwam ik erachter wat het zo geheimzinnig weggestopte ding was: een grote klont gestold bloed die de vrouw had verloren.

Vandaag maakte Geneesvrouw de pijp niet van boven open, maar aan de onderkant. Er was geen vieze lucht, het rook helemaal niet. Ze kneep iets uit de buis in haar hand; het leek op zwarte teer, erg dik en glanzend. Daarmee plakte ze de kartelige randen van de wond aan elkaar en smeerde het daarna uit over het hele onderbeen. Er kwam geen verband, geen spalk en geen hechting aan te pas en er waren geen krukken.

Korte tijd later zetten we de akelige gebeurtenis van ons af en gingen eten. De hele avond door lieten verschillende leden van de stam om beurten het hoofd van Grote Stenenjager in hun schoot rusten, zodat hij van de plaats waar hij lag toch iets kon zien. Toen het mijn beurt was, wilde ik zijn voorhoofd voelen om te weten of hij koorts had. Ook wilde ik hem graag aanraken en dicht bij de man zijn die kennelijk ter wille van mij in deze demonstratie van geneeskunst had toegestemd. Terwijl zijn hoofd op mijn knieën lag, keek hij naar me op en knipoogde.

De volgende morgen stond Grote Stenenjager op en liep met ons mee. Hij liep zelfs niet mank. Het ritueel dat ze hadden uitgevoerd, vertelden ze me, moest de druk op het bot verminderen en zwelling voorkomen. Het werkte. De dagen erna keek ik steeds van dichtbij naar zijn been en zag hoe de natuurlijke zwarte kleefstof opdroogde en eraf begon te vallen. Binnen vijf dagen was alles weg; er waren alleen een paar heel dunne littekens te zien waar het bot eruit had gestoken. Deze man woog ongeveer vijfenzestig kilo. Hoe hij zonder steun op dat volkomen doormidden gebroken bot kon staan zonder dat het weer uit de wond kwam steken, was een wonder. Ik wist dat deze stam als zodanig heel gezond was, maar ze bleken een speciale gave te hebben om in een ernstig geval als dit handelend op te treden.

Geneesvrouw vroeg me: 'Begrijp je hoe lang eeuwig is?'

'Ja,' zei ik, 'dat begrijp ik.'

'Weet je het zeker?'

'Ja, ik begrijp het,' herhaalde ik.

'Dan kunnen we je nog iets anders vertellen. Alle mensen zijn geesten, die slechts op bezoek zijn in deze wereld. Alle geesten leven voor eeuwig. Alle ontmoetingen met andere mensen zijn ervaringen, en alle ervaringen zijn verbintenissen voor eeuwig. Het Echte Volk sluit de kring van elke ervaring. We laten geen losse draden hangen, zoals de mutanten. Als je wegloopt met slechte gevoelens voor iemand anders in je hart en die kring wordt niet gesloten, zal het zich later in je leven herhalen. Je zult niet éénmaal lijden, maar telkens en telkens weer, tot je het hebt begrepen. Het is goed om te observeren, te leren en wijzer te worden van wat er is gebeurd. Het is goed om, zoals jullie het noemen, te danken, om te zegenen en dan in vrede weg te gaan.'

Ik weet niet of het been van deze man snel genas of niet. Er

konden geen röntgenfoto's worden gemaakt om het te onderzoeken, en hij is een gewoon mens, geen superman, maar
voor mij deed het er niet toe. Hij had geen pijn. Hij ondervond
geen gevolgen van het gebeurde en voor zover het hem en de
anderen aanging, was de ervaring voorbij. We liepen allemaal
in vrede, en hopelijk een beetje wijzer, verder. De kring was
gesloten. Er werd geen energie, tijd of aandacht meer aan geschonken.

Ooota zei me dat ze het ongeluk niet opzettelijk hadden veroorzaakt. Ze hadden alleen aangegeven dat ze, als het van het
grootste belang zou zijn voor alle leven, waar dan ook, open-
stonden voor een ervaring waarbij ik iets zou kunnen leren
over genezing door erbij te zijn. Ze wisten niet of zich een gelegenheid zou voordoen of wie het zou overkomen, maar ze
waren bereid om mij in staat te stellen de ervaring op te doen.
Toen het gebeurde, waren ze dankbaar dat ze hun gave mochten delen met de mutant, de buitenstaander.

Die avond was ook ik dankbaar, omdat ik werd toegelaten tot
de mysterieuze onbedorven gedachtengang van deze zogenaamd onbeschaafde mensen. Ik wilde graag meer leren over
hun heelkundige technieken, maar ik wilde niet de verantwoordelijkheid op me nemen om nog meer risico's aan hun
bestaan toe te voegen. Voor mij stond vast dat de uitdaging om
in de outback te overleven al groot genoeg was.

Ik had moeten weten dat ze mijn gedachten konden lezen en
al voor ik begon te spreken, wisten wat ik zou vragen. Die
avond hadden we een diepgaand gesprek over de relatie tussen het fysieke lichaam, het eeuwige deel van ons bestaan en
een nieuw aspect dat we nog niet eerder hadden behandeld:
de rol van gevoelens en emoties in gezondheid en welzijn.

De oermensen geloven dat het erop aankomt hoe je je emotio-
neel voelt. Dat gevoel wordt opgeslagen in elke lichaamscel,
in de kern van je persoonlijkheid, in je gedachten en in je eeuwige zelf. Waar in sommige godsdiensten gesproken wordt
over de plicht de hongerigen te voeden en de dorstigen te la-

ven, zegt deze stam dat het geven van voedsel en water niet essentieel is. De essentie is het gevoel dat je ervaart wanneer je van harte en liefdevol geeft, en dat gevoel is al dan niet blijvend. Water geven of troost bieden aan een wegkwijnende plant of aan een stervend dier verdient, omdat je het leven en onze Schepper erkent, evenveel waardering als het voeden van een mens. Je verlaat dit bestaansniveau als het ware met een rapport, dat van moment tot moment weergeeft hoe je met je emoties bent omgegaan. Het zijn de onzichtbare, niet-fysieke gevoelens, die het eeuwige deel van ons vullen, die het verschil uitmaken tussen goed en minder goed. Een handeling is alleen een golflengte waarlangs het gevoel, de bedoeling, kan worden uitgedrukt en ervaren.

Bij het zetten van het been werkten de beide oergenezers door gedachten van volmaaktheid naar het lichaam te zenden. Ze waren even druk bezig met hun hoofd en hun hart als met hun handen. De patiënt was bereid om welzijn te ontvangen en geloofde dat hij volledig en onmiddellijk zou herstellen. Het was verbazingwekkend dat iets wat van mijn standpunt bezien een wonder leek, bij de stam een heel gewone zaak was. Ik vroeg me af hoeveel lijden van zieken en slachtoffers in de Verenigde Staten niet te wijten is aan emotionele programmering. Niet opzettelijk, natuurlijk, maar op een niveau waarvan we ons niet bewust zijn.

Wat zou er in onze maatschappij gebeuren als artsen evenveel vertrouwen stelden in de genezende werking die van het menselijk lichaam zelf uit kan gaan als in geneesmiddelen die al dan niet helpen? Ik raakte steeds meer overtuigd van het belang van de relatie tussen dokter en patiënt. Als de arts niet gelooft dat iemand beter kan worden, kan die gedachte alleen al zijn werk doen mislukken. Lang geleden ontdekte ik al dat wanneer een dokter tegen een zieke zegt dat er geen geneesmiddel is voor zijn kwaal, het in werkelijkheid betekent dat de dokter niet beschikt over de informatie die hij kan gebruiken om een genezing tot stand te brengen. Het betekent niet dat er geen geneesmiddel is. Als iemand anders ooit is genezen van dezelfde ziekte, dan heeft het menselijk lichaam klaarblijkelijk het vermogen in zich om die kwaal te overwinnen.

Tijdens een lange discussie met Medicijnman en Geneesvrouw ontdekte ik een ongelooflijk nieuw perspectief voor gezondheid of ziekte. 'Genezen heeft absoluut niets met tijd uitstaande,' zeiden ze tegen me. 'Ziek worden en beter worden vinden plaats in een ogenblik.' Mijn interpretatie van wat ze bedoelden, was dat je lichaamscellen gaaf, goed en gezond zijn en dat de eerste stoornis of abnormaliteit in een ogenblik plaatsvindt in een bepaalde cel. Het kan maanden of jaren duren voordat de symptomen worden herkend en een diagnose kan worden gesteld. Genezing is het omgekeerde van dat proces. Je bent ziek, je gezondheid gaat achteruit en dan onderga je, afhankelijk van de maatschappij waarin je leeft, een of andere behandeling. In een ogenblik houdt het lichaam op met achteruitgaan en zet het de eerste stap op weg naar herstel. De stam van het Echte Volk gelooft dat we niet zomaar slachtoffer worden van een slechte gezondheid, maar dat het fysieke lichaam het enige middel is dat ons hoger niveau van eeuwig bewustzijn heeft om te communiceren met ons persoonlijk bewustzijn. Wanneer het functioneren van ons lichaam wordt vertraagd, kunnen we om ons heen kijken en analyseren welke werkelijk belangrijke wonden we willen helen: verstoorde relaties, gapende gaten in onze geloofsovertuiging, opgekropte angstgevoelens, afnemend geloof in onze Schepper, gevoelens van wrok.

Ik dacht aan de artsen in Amerika die nu proberen kankerpatiënten te helpen door hun te leren positief te denken. Zij zijn niet erg populair bij hun collega's, want wat zij onderzoeken is te 'nieuw'. Hier had ik een voorbeeld gezien hoe het oudste menselijke ras op aarde technieken gebruikte die eeuwenlang waren doorgegeven en hun waarde hadden bewezen. Toch willen wij, de zogenaamd geciviliseerde mensen, geen positieve gedachtenoverbrenging toepassen, omdat het misschien niet meer is dan een rage en we voorzichtigheidshalve menen dat het beter zou zijn om af te wachten wat voor uitwerking het heeft bij een paar proefpersonen. Wanneer een mutant ernstig ziek is, alle behandelingen heeft ondergaan die de dokter hem kan geven en op het randje van de dood zweeft, zegt de arts tegen de familie dat alles wat in zijn of haar vermogen ligt, is gedaan. Het is waar, hoe vaak heb ik niet de opmerking gehoord: 'Het spijt me, we kunnen niets meer doen. Het is nu in Gods handen.' Vreemd dat het opeens precies andersom lijkt te zijn.

Ik geloof niet dat het Echte Volk bovenmenselijk is in zijn benadering en behandeling van ziekten en ongevallen. Ik geloof oprecht dat alles wat ze doen door ons wetenschappelijk kan worden geanalyseerd. Wij streven er alleen naar machines te vervaardigen om bepaalde behandelingen uit te voeren en het Echte Volk levert het bewijs dat het ook gedaan kan worden zonder een elektrisch snoer.

De mensheid is moeizaam op zoek; in het westerse Australië worden de meest geavanceerde technieken toegepast, terwijl op slechts enkele duizenden kilometers afstand oeroude gebruiken die eeuwenlang mensen hebben gered, nog altijd standhouden. Misschien zullen ze op een dag tot elkaar komen, zodat er een gesloten kring van kennis ontstaat. Op die dag kan de hele wereld feestvieren!

14

Totems

Op een dag veranderde de wind van richting en nam toe. We kwamen met moeite vooruit terwijl het zand onze lichamen striemde. Onze sporen op de grond verdwenen op hetzelfde ogenblik dat ze werden gemaakt. Ik moest me inspannen om iets te kunnen zien door het rode stof. Het leek alsof ik door bloeddoorlopen lenzen keek. Eindelijk vonden we beschutting achter een rotsrichel, waar we ineengedoken gingen zitten om even verlost te zijn van het natuurgeweld. Terwijl we in onze slaaphuiden gehuld dicht naast elkaar zaten, vroeg ik: 'Wat is nu eigenlijk jullie verhouding tot het dierenrijk? Zijn de dieren jullie totems, symbolen die jullie herinneren aan je voorouders?'

'We zijn allen één,' was het antwoord, 'we leren kracht te putten uit zwakheid.'

Daarna vertelden ze me dat de bruine valk die ons voortdurend volgde, de mensen eraan herinnerde dat ons perspectief niet het enig mogelijke is. We hoeven ons alleen maar te verheffen en naar grotere hoogten te stijgen om te kunnen zien wat er zich nog meer afspeelt dan wij zien. Volgens hen sterven de mutanten die in de woestijn van dorst omkomen, omdat ze geen water zien en dan kwaad en moedeloos worden, feitelijk van emotie.

De stam van het Echte Volk gelooft dat de mens als mondiale familie nog steeds veel te leren heeft over de evolutie. Ze denken dat het universum nog steeds bezig is zich te ontplooien, dat het nog niet is voltooid. De mens heeft het zo druk met het zijn dat hij geen *wezen* wordt.

We hadden het over de kangoeroe, het stille, gewoonlijk zachtaardige dier dat van zestig centimeter tot ruim twee meter groot kan worden en voorkomt in aardekleuren van zacht zilvergrijs tot koperrood. Bij zijn geboorte heeft de rode kangoeroe de afmetingen en het gewicht van een bruine boon, maar wanneer hij volwassen is, meet hij twee meter tien. De stamleden vinden dat mutanten te veel gewicht hechten aan huidkleuren en lichaamsvormen. De voornaamste les die we van de kangoeroe kunnen leren, is dat hij niet achteruitloopt. Hij kan het niet. Hij gaat altijd voorwaarts, zelfs wanneer hij daardoor in een kringetje rondloopt! Zijn lange staart lijkt op een boomstam en daarop rust zijn gewicht. De kangoeroe is een veel gekozen totem, omdat mensen zich met hem verwant voelen en omdat ze de noodzaak van het vinden van evenwicht in hun persoonlijkheid inzien. Ik vond het wel prettig om op mijn leven terug te blikken en erover na te denken, zelfs wanneer ik tot de ontdekking kwam dat ik fouten of verkeerde keuzes had gemaakt, hoewel dat meestal toch het beste was wat ik op een bepaald moment kon doen. Op den duur zou het overdenken van mijn leven een stap voorwaarts betekenen. Overigens doen kangoeroes ook aan geboortenbeperking; wanneer de milieuomstandigheden dat noodzakelijk maken, planten ze zich niet voort.

Van de slang, die vele malen zijn opperhuid verliest, kunnen wij iets leren over verandering. Wanneer de mens op zijn zevenendertigste nog steeds hetzelfde gelooft als toen hij zeven jaar oud was, heeft hij in zijn leven niet veel geleerd. Het is nodig om oude ideeën, gewoonten, meningen en soms zelfs metgezellen aan de kant te zetten. Loslaten is vaak een moeizaam proces voor een mens. De slang is er niet minder of beter om, wanneer hij het oude van zich afwerpt; het is gewoon noodzakelijk. Er kunnen geen nieuwe dingen naast alle oude dingen komen, omdat daar geen plaats voor is. De mens lijkt en voelt zich jonger wanneer hij zich van een oude last ontdoet, al is hij dat natuurlijk niet. Het Echte Volk moest lachen om het westerse gebruik van verjaardagviering, omdat deze stam het zinloos vindt om bij te houden hoe oud iemand is. De slang is een meester in het tentoonspreiden van charme en macht. Het is goed om beide eigenschappen te bezitten, maar het kan verwoestend werken wanneer ze gaan overheersen. Er zijn veel giftige slangen waarvan het gif kan worden gebruikt om mensen te doden. Dit is weliswaar effectief, maar zoals dat met zoveel dingen het geval is, kan het ook zinvol worden gebruikt, bijvoorbeeld om iemand te helpen die in een mierenhoop is gevallen of die is gestoken door wespen of bijen. Het Echte Volk respecteert de behoefte aan privacy van de slang, omdat ieder van hen het van tijd tot tijd nodig heeft om een poos alleen te zijn.

De emoe, een grote loopvogel, helpt bij de voedselvoorziening, omdat hij vruchten eet. Doordat hij bij het eten daarvan veel zaden kwijtraakt, beschikken wij over een wijdverbreide overvloed aan plantaardig voedsel. Omdat de emoe een groot groenzwart ei legt, is hij de vruchtbaarheidstotem.

Het Echte Volk voelt zich nauw verbonden met de dolfijn, hoewel ze niet meer zo dicht bij zee kunnen komen als vroeger. De dolfijn was het eerste schepsel met wie ze langs telepathische weg konden communiceren. Dit dier laat zien dat het leven bedoeld is om gelukkig en vrij geleefd te worden. Van deze liefhebber van spelletjes hebben ze geleerd dat er geen wedijver, geen verliezer en geen winnaar bestaat, alleen plezier voor iedereen.

De les die de spin ons leert, is dat we nooit inhalig moeten zijn. Gebruiksvoorwerpen kunnen tegelijkertijd schoonheid en kunst uitdrukken. De spin maakt ons ook duidelijk dat we onszelf al te gemakkelijk kunnen overschatten.

We spraken over de lessen van de mier, het konijn, de hagedis, zelfs die van de *brumbie*, het Australische wilde paard. Toen ik begon over het uitsterven van bepaalde diersoorten, vroegen de stamleden of mutanten dan niet beseffen dat het einde van elke soort een stap dichter naar het eind van het menselijk ras is.

Eindelijk was de zandstorm voorbij en konden we ons uitgraven. Toen vertelden ze me dat ze overeenstemming hadden bereikt over het dier waarmee ik verwant was. Dit was bepaald door te letten op mijn schaduw, mijn manier van doen en de wijze waarop ik was gaan lopen nadat mijn voeten hun dikke eeltlaag hadden verkregen. Ze zeiden dat ze het dier voor me in het zand zouden tekenen. Terwijl de zon haar stralen als een schijnwerper voor me op de grond wierp, gebruikten zij hun vingers en tenen als potloden. De omtrek van een hoofd verscheen, iemand voegde daar kleine ronde oren aan toe. Ze keken naar mijn neus en projecteerden de vorm ervan in het zand. Geestvrouw tekende de ogen en zei dat het dier dezelfde kleur ogen had als ik. Toen werden er vlekken aangebracht en ik zei plagend dat al mijn sproeten nu wel waren verdwenen door het vervellen. 'We weten niet wat voor een dier dit is,' zeiden ze. 'Het komt niet voor in Australië.' Ze hadden de indruk dat het vrouwtje van deze misschien mythische diersoort de jager was en dat ze het grootste deel van de tijd op haar gemak alleen rondtrok. Ze zou het welzijn van haar jongen boven haar eigen leven of dat van haar levensgezel stellen. Ooota voegde er nog glimlachend aan toe: 'Wanneer dit vrouwtjesdier alles krijgt wat ze nodig heeft, is ze zachtaardig, maar haar scherpe tanden blijven niet ongebruikt.'

Ik keek neer op de voltooide tekening en zag een jachtluipaard. 'Ja,' zei ik, 'ik ken dit dier.' Alle eigenschappen van die grote kat kon ik met mezelf in verband brengen.

Die avond was het erg stil en ik dacht dat de bruine valk ook was gaan rusten. De maansikkel stond al aan een wolkeloze hemel toen ik tot de ontdekking kwam dat onze dag pratend voorbij was gegaan in plaats van lopend.

15

Vogels

We hadden al een week of twee, drie geen vogel meer gezien, behalve mijn trouwe vriend, de bruine valk met de donkere fluwelen vleugels, die terwijl we voortliepen duikvluchten uit-voerde boven onze groep en altijd het dichtst bij mijn hoofd kwam.

Op een ochtend kwam Zuster Vogeldromen naar voren uit de ochtendkring. Ze bood aan haar gave met de groep te delen als dat in het belang was van alle betrokkenen. Als dat zo was, zou de Goddelijke Eenheid ervoor zorgen. De stamleden wa-ren erg opgewonden over wat er ging gebeuren en ik was al zover gekomen dat ik geloofde dat er vogels uit het niets zou-den verschijnen als dat in het plan voor deze dag besloten lag.

De zon wierp haar heldere oranje schijnsel halverwege de hel-lingen van de heuvels in de verte toen we ze zagen naderen. Het was een vlucht bijzonder kleurige vogels, groter dan de parkieten die ik thuis in een kooi hield, maar met dezelfde ver-scheidenheid aan kleuren. Er waren er zoveel, dat we tussen hun fladderende vleugels de blauwe lucht niet meer konden zien. Opeens ging het geluid van door de lucht suizende boe-merangs gepaard met de taal van de vogels. Het klonk alsof de vogels dringend riepen: 'Mij, mij, mij!' Ze vielen in groepjes van twee en drie uit de lucht. Geen enkele vogel bleef op de grond liggen lijden, ze werden allemaal meteen gedood.

Die avond hadden we een heerlijke maaltijd en de stamleden waren voorzien van bonte veren. Ze maakten er hoofdbanden en borstversieringen van en ze gebruikten de zachtste veertjes om verband te maken voor de maandstonden van de vrouwen. We aten het vlees. De hersenen werden eruit gelepeld en apart gehouden. Ze werden gedroogd om later gebruikt te worden; een deel werd gemengd met de kruidenmedicijnen en een deel was, vermengd met water en olie, bestemd om als verf te dienen. Het weinige dat er nog over was, werd in de woestijn neergelegd voor de meute wilde dingo's die ons af en toe achterna liep.

Er werd niets weggegooid. Alles werd opnieuw gebruikt in de natuur en teruggegeven aan de aarde. Dit was een picknick waarbij geen rommel werd achtergelaten. Je kon trouwens bijna op geen enkele plaats waar we ons kamp hadden opgeslagen, zien dat we er hadden gegeten en geslapen. De stam is er zeer bedreven in om één te zijn met de natuur, die ze gebruiken zonder dat het universum erdoor wordt verstoord.

16

Naaien

We hadden de maaltijd voor die dag beëindigd. Het vuur was niet meer dan een zachte gloed, waaruit zo nu en dan vonken opstegen naar de ons omringende eindeloze hemel. Verscheidene leden van onze groep zaten in een kring om het flakkerende schijnsel. De oermensen geloven, evenals de meeste Indianenstammen, dat wanneer je in een kring zit het erg belangrijk is om andere leden van de groep gade te slaan, in het bijzonder degene die recht tegenover je zit. Die persoon is een geestelijke afspiegeling van jezelf. De dingen die je in die mens ziet en bewondert, zijn eigenschappen van jezelf die je dominanter wilt maken. De handelingen, het uiterlijk en het gedrag die je niet aanstaan, zijn dingen van jezelf waaraan je moet werken. Je kunt alleen datgene wat je als goed of slecht bestempelt bij een ander herkennen als je op een bepaald niveau van je eigen bestaan dezelfde krachten en zwakheden bezit. Alleen de mate van zelfdiscipline en de manier van uitdrukken zijn verschillend. De stamleden denken dat iemand alleen maar iets in zichzelf kan veranderen als hij dat echt wil, en dat iedereen het vermogen bezit om alles aan zijn eigen persoonlijkheid te kunnen veranderen wat hij wil. Er zijn geen grenzen aan wat je kunt prijsgeven en wat je kunt verkrijgen. Ze geloven ook dat de enige invloed die je op iemand anders kunt uitoefenen, voortkomt uit je eigen leven, uit hoe je handelt, uit wat je doet. Daarom zijn de oerbewoners er dagelijks intensief mee bezig om betere mensen te worden.

Ik zat tegenover Naaivrouw. Haar hoofd was geconcentreerd gebogen over de reparatie die ze moest uitvoeren. Eerder op de dag was Grote Stenenjager naar haar toe gekomen, nadat de waterzak, die hij aan de riem om zijn middel had hangen, plotseling op de grond was gevallen. Niet de kangoeroeblaas, gevuld met kostbare lading, was versleten, alleen de leren riem waarmee hij op zijn plaats gehouden werd.

Naaivrouw beet de draad van natuurlijk materiaal door met haar tanden. Die waren glad afgeslepen tot ongeveer de helft van hun oorspronkelijke grootte. Terwijl ze opkeek van haar karwei, zei ze: 'Het is interessant, die houding van mutanten ten opzichte van ouder worden; dat iemand te oud kan worden om zijn werk te doen. Beperkte bruikbaarheid.'

'Niemand is ooit te oud om waardevol te zijn,' voegde iemand anders eraan toe. 'Het lijkt erop of zakendoen een risico is gaan vormen voor de mutanten. Jullie hebben bedrijven gesticht opdat mensen gezamenlijk betere dingen konden krijgen dan wanneer ze dat in hun eentje probeerden, en als middel om individuele gaven uit te drukken en om deel uit te maken van jullie geldverkeer. Maar nu is in zaken blijven het doel van zo'n bedrijf geworden. Dat lijkt voor ons zo vreemd, omdat wij zowel het produkt als de mensen als iets echts beschouwen, terwijl een bedrijf niet echt is. Een bedrijf is alleen maar een idee, een overeenkomst, en toch is het doel van een bedrijf om koste wat het kost in zaken te blijven. Zulke opvattingen zijn voor ons moeilijk te begrijpen,' was het commentaar van Naaivrouw.

Daarna praatte ik met de stamleden over vrij ondernemerschap, privé-bedrijven, coöperaties, aandelen en obligaties, werkloosheidsuitkeringen, sociale voorzieningen en vakbonden. Ik legde ook uit hoe de Russische regering in elkaar zit en welke verschillen er bestaan tussen de Chinese en de Japanse economie. Omdat ik heb lesgegeven in Denemarken, Brazilië en Sri Lanka, kon ik iets vertellen over het leven in die landen. We hadden het over industrie en produkten. Ze waren het er allemaal over eens dat auto's handige vervoermiddelen waren. Om echter een slaaf te worden van de afbetaling ervan, of misschien betrokken te raken bij een ongeluk zodat je naar alle waarschijnlijkheid een geschil moest bijleggen waaraan je een vijand zou overhouden, en de beperkte hoeveelheid water in de woestijn te moeten delen met vier wielen en een zitplaats, was in hun ogen niet de moeite waard. Ze hebben ook nooit haast.

Ik keek naar Naaivrouw, die tegenover me zat en bewonderde haar vele opmerkelijke eigenschappen. Ze was goed thuis in de wereldgeschiedenis, was zelfs op de hoogte van de recente gebeurtenissen, en dat terwijl ze niet kon lezen of schrijven. Ze was creatief. Het was me opgevallen dat ze Grote Stenenjager had aangeboden om de reparatie voor hem te verrichten, nog voor hij het had gevraagd. Ze was een vastberaden vrouw en daar leefde ze ook naar. Het was waar: wanneer ik degene die in de kring tegenover me zat observeerde, kon ik daar iets van leren.

Ik vroeg me af wat ze van mij dacht. Wanneer we een kring vormden, zat er altijd iemand tegenover me, maar niemand haastte zich om die plaats in te nemen. Een van mijn ernstige fouten, ik wist het, was dat ik te veel vragen stelde. Ik moest erom denken dat deze mensen geen geheimen voor elkaar hadden, dus wanneer de tijd gekomen was, zouden ze me dat laten weten. In hun ogen was ik waarschijnlijk een drammerig kind.

Nadat we ons hadden teruggetrokken voor de nacht bleef ik nadenken over haar opmerkingen. Zakendoen is niet reëel, het is alleen een overeenkomst. Toch is het doel van zakendoen om in zaken te blijven, ongeacht de uitwerking die het heeft op mensen of op de produkten en de diensten! Dat was een slimme opmerking voor iemand die nooit een krant had gelezen, geen televisieprogramma had gezien of naar de radio had geluisterd. Op dat moment wenste ik dat de hele wereld naar deze vrouw zou kunnen luisteren. Misschien zouden ze dan, in plaats van dit deel van de wereld de outback te noemen, het gaan beschouwen als het middelpunt van menselijke betrokkenheid.

17

Muziekmedicijn

Een paar leden van de stam beschikten over het muziekmedicijn. Medicijn was het woord dat meestal bij de vertaling werd gebruikt. Het had niets te maken met medicijnen en had ook niet uitsluitend betrekking op lichamelijk genezen. Al het goede dat door iemand werd bijgedragen aan het algehele welzijn van de groep, was medicijn. Ooota legde uit dat het goed was om de gave, of het medicijn, te hebben voor het zetten van gebroken botten, maar dat het niet beter of minder goed was dan de gave van verwantschap met vruchtbaarheid en eieren. Beide waren nodig en beide waren uiterst persoonlijk. Ik was het ermee eens en verheugde me al op een toekomstige maaltijd met eieren.

Die dag hoorde ik dat er een groot muziekconcert zou plaatsvinden. Er waren geen instrumenten bij onze schamele bezittingen, maar ik was al lang opgehouden te vragen hoe en waar iets zou gebeuren. 's Middags voelde ik de opwinding toenemen, terwijl we door een kloof liepen. Die was smal, misschien vier meter breed, en de wanden rezen op tot zes meter hoogte. We zouden hier de nacht doorbrengen. Terwijl de maaltijd van groenten en insekten werd klaargemaakt, bouwden de musici het toneel op. In de rotsspleet groeiden ronde, tonvormige planten. Iemand sloeg de top eraf en schepte er de vochtige inhoud, die iets weg had van pompoen, uit om op te zuigen. De grote zaden werden opzij gelegd. Daarna werden een paar van de huiden zonder vacht, die we bij ons hadden, over de planten gedrapeerd en stevig vastgebonden. Het werden ongelooflijke slagwerkinstrumenten.

Vlakbij lag een oude dode boom, waarvan een aantal takken met termieten bedekt was. Er werd een tak afgebroken en de insekten werden eraf geklopt. De termieten hadden de tak uitgehold, zodat deze vol zaagsel zat. Door er met een stok in te porren en de droge, verkruimelde inhoud weg te blazen, ontstond al snel een lange, holle pijp. Het leek wel de bazuin van de engel Gabriël. Later hoorde ik dat dit instrument in Australië een *didjeridoo* wordt genoemd. Het geeft een laag geluid als je erop blaast.

Een van de muzikanten begon met stokjes tegen elkaar te slaan en een ander gebruikte twee stenen om het ritme aan te geven. Met aan draadjes bevestigde schelpen werd de klank van tinkelende klokjes nagebootst. Een van de mannen maakte een snorrebot: een plat stuk hout aan een touw. Wanneer dat in het rond wordt gezwaaid, geeft het een brommend geluid. Ze waren zeer bedreven in het regelen van het volume. De opstelling in de kloof zorgde voor een fantastische vibratie en een echo. Het woord concert had niet toepasselijker gebruikt kunnen worden. De stamleden zingen individueel of in groepjes. Ik realiseerde me dat sommige liederen even oud waren als de tijd. Deze mensen herhalen half gezongen, half gesproken liederen die hier in de woestijn zijn gecreëerd voordat onze tijdrekening werd uitgevonden. Er waren ook nieuwe composities bij; muziek die werd gemaakt, omdat ik bij hen was.

Omdat ze geen geschreven taal hebben, wordt kennis van de ene generatie aan de andere doorgegeven door middel van zang en dans. Elke historische gebeurtenis kan worden uitgebeeld met tekeningen in het zand of door muziek en drama. Ze maken iedere dag muziek, omdat het nodig is feiten vers in het geheugen te houden. Het vertellen van hun hele geschiedenis vergt ongeveer een jaar. Als elk voorval zou kunnen worden geschilderd en alle schilderijen in de juiste volgorde op de grond zouden worden gelegd, zou er een kaart ontstaan van de wereld zoals die er de laatste duizenden jaren heeft uitgezien.

De belangrijkste getuigenis van dit concert was echter dat dit volk van het leven geniet zonder zich aan materiële zaken te hechten. Toen het feest was afgelopen, werden de instrumenten weer teruggeplaatst waar ze die hadden gevonden. De zaden werden geplant om nieuw leven voort te brengen. Op de rotswand werden tekens aangebracht, zodat na ons komende reizigers konden zien wat hier voor hen beschikbaar was. De stokken, takken en stenen werden door de musici achtergelaten, maar toch bleef de vreugde over hun creativiteit en hun talenten, als bevestiging van ieders gevoel voor eigenwaarde. Een musicus draagt zijn muziek in zich mee. Hij heeft geen bepaald instrument nodig, hij ìs muziek.

Die dag leerde ik ook dat het leven is wat je er zelf van maakt. We kunnen ons leven verrijken, onszelf dingen geven en net zo creatief en gelukkig zijn als we onszelf toestaan. De componist en de overige musici liepen weg met opgeheven hoofd. 'Geweldig concert,' zei een van hen. 'Een van de beste,' beaamde een ander. Daarna hoorde ik de eerste man zeggen: 'Ik denk dat ik binnenkort mijn naam ga veranderen van Componist in Grote Componist.'

Dat was geen vorm van zelfoverschatting. De oermensen zijn zich gewoon bewust van hun talenten en weten dat het zaak is om de talrijke wonderbaarlijke eigenschappen die ons gegeven zijn, te ontwikkelen en met elkaar te delen. Er is een belangrijke relatie tussen het zich bewust zijn van zijn eigenwaarde en de viering van het persoonlijk aannemen van een nieuwe naam.

Het Echte Volk zegt dat het hier altijd is geweest. De geleerden weten dat de oerbewoners minstens vijftigduizend jaar in

Australië hebben geleefd. Het is verbazingwekkend dat ze na zo'n lange periode geen wouden hebben verwoest, geen water hebben vervuild, geen levensvormen hebben bedreigd, geen besmetting hebben veroorzaakt en toch al die tijd ruimschoots konden beschikken over voedsel en onderdak. Ze hebben veel gelachen en heel weinig gehuild. Ze leiden een lang, produktief en gezond leven, en verlaten dat in het vertrouwen dat hun geest blijft voortbestaan.

18

Droomvanger

Op een ochtend heerste er een opgewonden stemming toen we met ons gebruikelijke ochtendritueel bezig waren, met het gezicht naar het oosten. Er was nog maar een vage kleur aan de hemel zichtbaar, die erop duidde dat de dag weldra zou aanbreken. Geestvrouw liep naar het midden van de groep en nam de plaats in van de Stamoudste, die juist zijn aandeel in de bijeenkomst had beëindigd.

Geestvrouw en ik vertoonden veel lichamelijke overeenkomsten. Zij was de enige aboriginal-vrouw in de hele stam die meer dan vijfenvijftig kilo woog. Ik wist zeker dat ik was afgevallen door het lopen in de intense hitte en het eten van slechts één maaltijd per dag. Ik had genoeg overtollig vet in mijn lichaam opgeslagen en vond het leuk om me voor te stellen dat het van me af droop en in mijn voetsporen in het zand lekte.

In het midden van onze halve cirkel bleef Geestvrouw staan, de handen boven haar hoofd geheven om haar gave aan te bieden aan de onzichtbare toehoorder in de hemel. Ze stelde zich beschikbaar als contactpersoon, als de Goddelijke Eenheid die dag via haar werkzaam zou willen zijn. Ze wilde haar gave delen met mij, de geadopteerde mutant op deze walkabout. Nadat ze haar bede had opgezonden, sprak ze op luide en nadrukkelijke toon haar dank uit. De overige leden van de groep

stemden met haar in en gaven luidkeels blijk van hun dankbaarheid voor de nog niet ontvangen gave van de dag. Gewoonlijk zouden ze dit in stilte hebben gedaan door hun ge-
perfectioneerde mentale communicatie, maar omdat ik nog
niet bedreven was in telepathie en bovendien hun gast was,
pasten ze zich aan bij mijn beperkingen.

We bleven lopen tot laat in de middag. Er was weinig plantengroei te bespeuren langs onze route. Voor mij was het een op-
luchting om nu eens niet de puntige bladeren van de spinifex
in mijn voetzolen te voelen prikken. Aan het eind van de middag werd de stilte verbroken toen iemand een groep dwergbomen in het oog kreeg. Ze zagen er eigenaardig uit, met aan het
boveneinde van de stam een kroon van takken die zich uit-
spreidden als een bosje. Hier had Geestvrouw om gevraagd en
op gewacht.

Toen we de avond daarvoor om het vuur zaten, hadden zij en
drie anderen ieder een gladde huid gepakt en daar een stevige
reep van gestikt. Vandaag droegen ze die met zich mee. Ik
vroeg niet waar die voor dienden, ik wist dat het me verteld
zou worden wanneer de tijd gekomen was. Geestvrouw pakte
mijn hand en trok me mee naar de bomen. Ze wees ergens
naar, maar ik zag niets. Omdat ze zo opgewonden was, keek
ik nog eens goed. Toen zag ik het, een reusachtig spinneweb.
Het was een dik, glinsterend, ingewikkeld patroon van honderden geweven draden. Enkele bomen hadden zo'n web tussen hun takken hangen. Ze zei iets tegen Ooota, die me vervolgens opdroeg om er een uit te kiezen. Ik wist niet waarop ik
moest letten, maar was er intussen wel achter gekomen dat de
aboriginals op hun intuïtie afgaan. Dus ik wees er een aan.
Vervolgens nam Geestvrouw wat aromatische olie uit het zakje
dat ze aan de riem om haar middel droeg, en smeerde dat over
het stuk huid dat rond gebogen was in de vorm van een tam-
boerijn. Ze haalde alle bladeren achter het web weg, hield het
geoliede voorwerp erachter en met een enkele snelle polsbe-
weging ving ze het weefsel in zijn geheel op zodat het, alsof

het was ingelijst, op de huid rustte. Ik keek toe terwijl anderen naar voren kwamen om een web te kiezen. Elke vrouw die zo'n lijst vasthield, slaagde erin het ragdunne weefsel op te vangen.

Terwijl wij daarmee bezig waren, hadden de overige stamleden een vuur aangelegd en voedsel gezocht voor ons avondeten. Daar waren veel grote spinnen bij die uit de dwergbomen kwamen en een nieuwe knol, die ik nog niet eerder had gegeten en die naar koolraap smaakte.

Na het eten gingen we zoals elke avond bij elkaar zitten. Geestvrouw legde haar talent uit. Ieder menselijk wezen is uniek en ieder van ons heeft bepaalde eigenschappen meegekregen, die buitengewoon sterk zijn en tot een gave in ons leven kunnen worden. Haar bijdrage aan de gemeenschap was die van Droomvanger. Iedereen droomt, zei ze tegen me. Niet iedereen onthoudt zijn dromen of haalt er een boodschap uit, maar we dromen allemaal. 'Dromen zijn de schaduw van de werkelijkheid,' zei ze. Alles wat bestaat, wat hier gebeurt, komt ook voor in de droomwereld. Alle antwoorden liggen daar. Deze bijzondere webben zijn ons behulpzaam in een zang- en dansceremonie, waarbij het heelal om leiding bij het dromen wordt gevraagd. Geestvrouw helpt de dromer dan om de boodschap te begrijpen.

Ik begreep dat de aboriginals met het woord dromen verschillende bewustzijnsniveaus bedoelen. Er zijn voorouderdromen, toen gedachten de wereld schiepen, er zijn lichaamloze dromen, zoals diepe meditatie, en er zijn dromen tijdens de slaap.

De stam gebruikt de droomvangers om hulp te vragen bij elke situatie. Als ze hulp nodig hebben bij het begrijpen van een relatie, een gezondheidsprobleem of de bedoeling van een bepaalde ervaring, geloven ze dat ze het antwoord kunnen vinden in een droom. Mutanten kennen slechts één manier om in een droomtoestand te geraken, in hun slaap, maar de mensen van het Echte Volk kunnen ook dromen terwijl ze wakker zijn.

Zonder geestverruimende middelen te gebruiken, alleen door ademhalingstechnieken en concentratie, kunnen ze bewust handelingen verrichten terwijl ze in de droomwereld verkeren.

Ik kreeg de opdracht om te dansen met de droomvanger. Ronddraaien is bijzonder nuttig. Je prent de vraag goed in je gedachten en stelt hem telkens en telkens weer, terwijl je in beweging blijft. De doeltreffendste draai en de verklaring die de oerbewoners ervoor geven, is een oefening die wervelingen van energie opwekt in zeven belangrijke lichaamscentra: gewoon rechtop staan met gespreide armen en dan steeds maar rechtsom draaien.

Ik werd al heel gauw duizelig, zodat ik moest gaan zitten, intussen overpeinzend hoe mijn leven was veranderd. Hier in de woestijn, waar per vierkante kilometer niet eens één mens woonde, in een gebied dat meer dan driemaal zo groot is als Texas, danste ik als een wervelende derwisj, schopte het zand op en liet de luchtstroom die mijn droomvanger beroerde eindeloos voortgolven over de open ruimte.

De leden van de stam dromen 's nachts niet, tenzij ze een droom oproepen. Slaap is voor hen een tijd van belangrijke rust, zodat het lichaam zich kan herstellen. Die periode is niet bedoeld om energie over verschillende projecten te verdelen. Ze geloven dat mutanten 's nachts dromen, omdat het ons in onze samenleving niet is toegestaan om gedurende de dag te dromen en dat het totaal verkeerd wordt begrepen wanneer iemand met open ogen droomt.

Eindelijk was het tijd om te gaan slapen. Ik streek het zand glad en gebruikte mijn arm als hoofdkussen. Iemand gaf me een kommetje water en zei dat ik de helft nu moest opdrinken en de rest wanneer ik wakker werd. Dat zou me helpen om me mijn droom tot in details te herinneren. Wat me het meest bezighield, was de vraag die ik had gesteld. Wat moet ik, wanneer deze reis is volbracht, doen met de informatie die ik heb gekregen?

De volgende morgen vroeg Geestvrouw me, met Ooota als tolk, om me mijn droom te herinneren. Ik dacht dat het voor haar onmogelijk zou zijn om de bedoeling ervan te begrijpen, omdat wat ik had gedroomd niets met Australië te maken leek te hebben, maar ik vertelde haar mijn droom. Ze vroeg me het meest naar wat ik voelde, welke emotie verbonden was met de voorwerpen en dingen die in mijn droom voorkwamen. Het was verbazingwekkend dat ze er zo'n visie uit kon halen, terwijl de levensstijl waarover ik had gedroomd haar toch volkomen vreemd was.

Ik kwam tot de conclusie dat er een aantal stormen in mijn leven zouden woeden, dat mensen en dingen waarin ik een massa tijd en energie had gestoken ter zijde geschoven zouden worden, maar ik wist nu hoe het voelde om een evenwichtig, vreedzaam mens te zijn. Ik wist dat ik altijd kracht uit dat gevoel zou kunnen putten wanneer ik het wilde of nodig had. Ik leerde dat ik tijdens de jaren van mijn leven meer dan één leven kon leiden en dat ik al had meegemaakt dat er een deur gesloten werd. Ik vernam dat de tijd was aangebroken waarop ik niet langer kon blijven bij de mensen en op de plaats waar ik was, of vasthouden aan de waarden en overtuigingen die ik koesterde. Voor de ontwikkeling van mijn ziel had ik zachtjes een deur dichtgedaan en was ik een nieuwe plaats binnengegaan, een nieuw leven dat vergelijkbaar was met een stap hoger op een spirituele ladder. En wat het allerbelangrijkste was: ik hoefde niets te doen met die informatie. Als ik gewoon maar leefde volgens de principes die me goed toeschenen, zou ik de levens beroeren van hen voor wie ik was voorbestemd om ze aan te raken. Deuren zouden opengaan. Tenslotte was 'het' niet mijn boodschap; ik was slechts de boodschapper.

Ik vroeg me af of anderen die met Droomvanger hadden gedanst, hun dromen met ons zouden delen. Voor ik die vraag kon stellen, had Ooota mijn gedachten gelezen en hij antwoordde: 'Ja, Gereedschapmaker wenst te spreken.' Gereedschapmaker was een oudere man die niet alleen gereedschap maakte, maar ook verfkwasten, kookgerei en bijna alle andere benodigdheden. Hij had een vraag gesteld over spierpijn. Zijn droom ging over een schildpad die uit de *billabong* kwam kruipen en ontdekte dat hij de poten aan één kant van zijn lijf was kwijtgeraakt en dat hij scheef hing. Nadat Geestvrouw de hele droom met hem had doorgesproken, net zoals ze dat met de mijne had gedaan, kwam hij tot de slotsom dat voor hem de tijd was aangebroken om iemand anders zijn vak te leren. Hij was gelukkig geweest met de verantwoordelijkheid een meestergereedschapmaker te zijn, maar de laatste tijd voelde hij minder oprechte vreugde en meer druk van binnenuit, wat betekende dat er iets moest veranderen. Hij was scheef gaan hangen. Werk en spel waren niet meer in evenwicht.

De daaropvolgende dagen zag ik dat hij anderen les gaf. Toen ik hem vroeg of hij nog steeds pijn en kramp had, zei hij glimlachend: 'Wanneer de geest soepel wordt, worden de spieren soepel. Geen pijn, niet meer.'

19

Verrassingsdiner

Tijdens ons ochtendritueel sprak Verwant-aan-Grote-Dieren. Zijn broeders wensten te worden geëerd. Iedereen was het met hem eens; ze hadden al lang niets meer van hen gehoord. Er zijn niet veel grote dieren in Australië. Het is net zoals Afrika, met olifanten, leeuwen, giraffes en zebra's. Ik was werkelijk benieuwd om te zien welke verrassing ons te wachten stond.

We liepen die dag in een stevig tempo. De hitte leek minder drukkend, het was misschien wel een paar graden koeler. Geneesvrouw smeerde een dikke laag van een mengsel van hagedisse- en plante-olie op mijn gezicht en nog wat extra op mijn neus en oren. Ik had het aantal keren dat ik verveld was niet bijgehouden, maar het waren er heel wat. Het leek erop dat ik geen oren meer zou overhouden, ze bleven verbranden. Geestvrouw schoot me te hulp. Ze kwamen bijeen om het probleem te bespreken en hoewel dit een voor hen unieke situatie was, kwamen ze snel met een oplossing. Er werd iets in elkaar geknutseld wat nog het meest leek op een stel ouderwetse oorwarmers. Geestvrouw nam een reep dierehuid, boog die in een halve cirkel en Naaivrouw maakte veren vast aan de uiteinden. Het geheel werd over mijn oren gehangen en bood, in combinatie met de olie, een prima bescherming.

Het was een leuke dag. Onder het lopen losten we raadsels op.

Om de beurt imiteerden de stamleden dieren en reptielen of beeldden een gebeurtenis van vroeger uit terwijl wij erachter probeerden te komen wat het was. De hele dag werd er gelachen. De voetstappen van mijn reisgenoten waren niet langer kuiltjes in het zand; ik begon de karakteristieken van ieders persoonlijke manier van lopen te onderscheiden.

Toen het bijna avond was, begon ik de vlakte af te zoeken naar begroeiing. De kleur van de grond vóór ons ging over van beige in verschillende tinten groen. Ten slotte zag ik in de verte een aantal bomen. Zo langzamerhand zou ik toch niet meer verbaasd moeten zijn bij het zien van dingen die bij het Echte Volk uit het niets kwamen opdoemen. Hun oprechte enthousiasme bij het ontvangen van iedere nieuwe gave was een deel van mijn persoonlijkheid geworden.

Daar stonden ze, de grote dieren die wilden dat de betekenis van hun bestaan zou worden geëerd: vier wilde kamelen. Alle vier hadden ze één enkele grote bult en ze zagen er niet zo verzorgd uit als de kamelen die ik kende van het circus en de dierentuin. Kamelen horen niet thuis in Australië. Ze waren hiernaartoe gebracht om als transportmiddel te dienen. Blijkbaar hadden zij het overleefd, maar hun berijders niet.

De stamleden hielden halt. Zes verkenners gingen eropaf, van verschillende kanten. Drie naderden de dieren uit het oosten, de drie anderen vanuit het westen. Zachtjes slopen ze gebukt voorwaarts. Elke jager droeg een boemerang, een speer en een speerwerper, dat is een apart houten voorwerp, waarmee de speer wordt gelanceerd. Door de arm met volle kracht te zwaaien, tegelijk met een ruk van de pols, worden de afstand waarover het wapen kan worden gegooid en de trefkans verdrievoudigd. Het groepje kamelen bestond uit een mannetje, twee volwassen vrouwtjes en een jong.

De jagers namen nauwlettend de situatie op. Later vertelden ze me dat ze stilzwijgend hadden afgesproken dat ze het oudste vrouwtje zouden nemen. Ze gaan te werk op dezelfde manier als bij hun broeder uit het dierenrijk, de dingo, en wachten op signalen van het zwakste dier. Het leek de jagers te roepen en de wens te kennen te geven om die dag geëerd te worden vanwege het doel van zijn bestaan, en om de sterken de levenslijn te laten voortzetten. Zonder woorden en zonder zichtbare handgebaren gingen de jagers tot de aanval over. Twee tegelijkertijd trefzeker geworpen speren, een in het hoofd en een in de borst, hadden onmiddellijk de dood tot gevolg. De drie overgebleven kamelen gingen ervandoor, het geluid van hun hoeven stierf weg in de verte.

We groeven een diepe kuil en bedekten de bodem en de zijkanten met lagen droog gras. Verwant-aan-Grote-Dieren sneed de buik van de kameel open met zijn mes. Een golf warme lucht ontsnapte en daarna roken we de sterke, warme geur van bloed. Stuk voor stuk werden de organen eruit gehaald. Hart en lever werden apart gehouden, vanwege de kracht en het uithoudingsvermogen die ze volgens de oermensen verschaffen. Ik begreep dat ze een flinke hoeveelheid ijzer leverden voor hun dieet, waarvan de voedingsstoffen soms onbestendig en onvoorspelbaar waren. Het bloed werd in een speciale draagzak gegoten, die de jonge leerlinge van Geneesvrouw om haar hals had hangen. De hoeven werden eveneens bewaard. De stamleden zeiden dat ze erg nuttig waren en op verschillende manieren konden worden gebruikt. Ik kon me niet voorstellen welke.

'Mutant, deze kameel is speciaal voor jou volwassen geworden,' riep een van de slagers terwijl hij de enorme blaas omhooghield.

Mijn voorliefde voor water was algemeen bekend en ze hadden al lange tijd gezocht naar een blaas die geschikt was voor mij om als waterzak te dragen. Nu hadden ze er een gevonden.

Het terrein was voor dieren kennelijk een geliefkoosde plek om te grazen, wat te zien was aan de hopen mest. Het was ironisch om nu de waarde in te zien van iets waarover ik nog maar enkele maanden geleden alleen maar met walging had kunnen praten. Vandaag liep ik mest te rapen, dankbaar voor de hoeveelheid brandstof die we zo goed konden gebruiken.

Onze vrolijke dag eindigde met nog meer gelach en grapjes terwijl ze bespraken of ik de blaas aan een riem om mijn middel zou dragen, om mijn hals, of als rugzak. De volgende dag gingen we op pad met de kamelehuid over de hoofden van een aantal stamleden gespannen. Dat gaf schaduw, maar ook kon de huid op deze manier drogen terwijl we onze tocht voortzetten. Ze hadden alle vlees eraf geschraapt en de huid behandeld met looizuur, afkomstig uit de bast van een plant. De kameel had meer vlees opgeleverd dan we voor ons avondeten nodig hadden, daarom was de rest in repen gesneden. Sommige delen waren niet gaar geworden in de kuil, en die repen werden aan stokken vastgemaakt. Een paar stamleden liepen met deze stokken door de woestijn. Het vlees wapperde in de wind, droogde en werd op natuurlijke wijze geconserveerd. Het was een vreemde optocht!

20

Mieren zonder chocoladelaagje

De zon scheen zo verschroeiend fel, dat ik mijn ogen niet helemaal open kon houden. Het zweet dat uit al mijn poriën brak,
gleed in kleine stroompjes over mijn borsten en maakte mijn
dijen nat, die bij elke stap tegen elkaar schuurden. Er stond
zelfs zweet boven op mijn voeten, iets wat ik nog nooit had gezien. Het duidde erop dat de temperatuur boven de 42 graden
Celsius uit kwam en dat we werden blootgesteld aan een bijna
ondraaglijke hitte. De onderkant van mijn voeten ging er steeds
vreemder uitzien. Er liepen blaren van teen tot hiel en van de
ene zijkant naar de andere. Daaronder hadden zich weer
nieuwe vochtophopingen gevormd en ik had er totaal geen gevoel meer in.
Terwijl we voortliepen, verdween een van de vrouwen korte
tijd in de woestijn om terug te komen met een enorm felgroen
blad. Het was bijna vijftig centimeter breed. Ik zag nergens
een plant waarvan het afkomstig zou kunnen zijn, maar het
zag er fris en gezond uit. Verder was alles om ons heen bruin,
bros en droog. Niemand vroeg aan de vrouw waar ze het blad
had gevonden. Haar naam was Speelvrouw en haar talent in
het leven was het organiseren van spelletjes. Die avond zou zij,
wanneer we bijeenzaten, de leiding hebben en ze zei dat we
het spel van de schepping zouden spelen.

We kwamen langs een mierenhoop vol grote mieren van zeker tweeënhalve centimeter lang, en eigenaardig dik in het midden. 'Dit zul je lekker vinden!' zeiden ze tegen me. Deze diertjes zouden een deel van onze maaltijd vormen. Het is een soort honingmier, waarvan de opgezwollen maag een zoete substantie bevat die naar honing smaakt. Ze worden nooit zo groot en zoet als de mieren die voorkomen op plaatsen met een overvloedige vegetatie. De honing is ook geen romige, heldergele, kleverige stof, maar is kleurloos net als de hitte en de wind uit de omgeving. De stamleden hebben waarschijnlijk nooit iets geproefd waarvan de smaak dichter bij die van een reep chocola komt. Ze staken hun arm uit en lieten de mieren ertegenop kruipen. Daarna stopten ze hun handen in hun mond en zogen de insekten eraf. Aan hun gezichten te zien smaakte het heerlijk. Ik wist dat ze op een gegeven moment zouden vinden dat het tijd werd voor mij om er een te proberen, dus ik besloot flink te zijn, pakte er een en stak hem in mijn mond. De kunst was om het diertje stuk te bijten en de zoetigheid op te zuigen, niet om het in zijn geheel in te slikken. Het lukte niet. Ik griezelde van de pootjes die op mijn tong kriebelden en spuugde hem uit.

Later, toen we een vuur hadden aangemaakt, vouwden ze mieren in een blad en legden dat in de gloeiende as. Daarna kon de honing van het blad worden gelikt, zoals wij een gesmolten Marsreep van de wikkel likken. Voor iemand die nooit echte bijenhoning had gegeten, was het misschien een traktatie, maar het leek me niet iets wat je in de stad zou kunnen verkopen.

Die avond scheurde Speelvrouw het blad in stukjes. Ze telde die niet op de manier zoals wij dat doen, maar hield toch het aantal bij zodat ieder van ons een stukje kreeg. Terwijl ze daarmee bezig was, maakten we muziek en er werd gezongen. Toen begon het spel.

Onder het zingen werd het eerste stuk op het zand gelegd, daarna nog een en nog een, tot de muziek ophield. We zagen dat er een soort legpuzzel ontstond. Naarmate er meer stukjes op de grond lagen, werd duidelijk dat de regels toelieten dat iedereen ze kon verleggen als hij vond dat zijn stukje ergens anders beter paste. Het ging niet precies om de beurt, de groep hield zich er als geheel mee bezig en er viel ook niets te winnen. Al gauw was de bovenste helft van het blad weer compleet en in de oorspronkelijke vorm. Op dat moment feliciteerden we elkaar, drukten handen, knuffelden elkaar en sprongen in het rond. Het spel was halverwege en iedereen had eraan meegedaan. Vervolgens concentreerden we ons weer en gingen serieus verder. Ik liep naar voren en legde mijn stukje neer. Later ging ik opnieuw naar de puzzel, maar kon mijn deel niet meer terugvinden, en daarom draaide ik me om en ging zitten. Ooota las mijn gedachten en zonder dat ik hem iets had gevraagd, zei hij: 'Het is goed zo. Het lijkt alleen maar alsof de stukjes apart liggen, zoals mensen ook apart lijken, maar we zijn allemaal één. Daarom is dit het spel van de schepping.'

Terwijl verscheidene stamleden tegen me begonnen te praten, vertaalde hij. 'Eén-zijn betekent niet dat we allemaal hetzelfde zijn. Ieder schepsel is uniek. Er zijn er geen twee die dezelfde plaats innemen. Zoals het blad alle stukjes nodig heeft om een geheel te worden, zo heeft elke geest zijn eigen plaats. Mensen kunnen proberen te manipuleren, maar ten slotte zal iedereen op de juiste plek terechtkomen. Sommigen van ons kiezen een rechte weg, terwijl anderen er de voorkeur aan geven in kringetjes rond te draaien.'

Ik merkte dat ze me allemaal aankeken en kreeg het gevoel dat ik moest opstaan en naar het blad lopen. Er miste nog een stukje, dat ernaast lag. Ik legde het laatste stukje van de puzzel op zijn plaats en er steeg een vreugdekreet op naar de wijde, open ruimte die onze kleine groep menselijke wezens omgaf.

In de verte hief een meute dingo's hun puntige snuiten op en huilde tegen de zwartfluwelen avondlucht die bespikkeld was met hemelse diamanten.

'Jouw voltooiing bevestigt je recht op deze tocht. We reizen in Eenheid langs een rechte weg. Mutanten hebben vele geloofs- overtuigingen. Ze zeggen: jouw weg is anders dan mijn weg, jouw redder is niet mijn redder, jouw eeuwig is niet mijn eeu- wig. Maar de waarheid is: alle leven is slechts één leven. Er is maar één spel gaande. Er is één ras met veel verschillende facetten. Mutanten twisten over de naam van God, in welk ge- bouw, op welke dag en met welk ritueel Hij moet worden geëerd. Verscheen Hij op aarde? Wat betekenen Zijn verhalen? Waarheid is waarheid. Als je iemand kwetst, kwets je jezelf. Als je iemand helpt, help je jezelf. Alle mensen hebben bloed en beenderen. Hart en bedoelingen zijn verschillend. Mutan- ten denken hier slechts honderd jaar over na, over zichzelf en apartheid. Het Echte Volk denkt eeuwig. Alles is één, onze voorvaderen, onze ongeboren kleinkinderen, alle leven, overal.'

Toen het spel was afgelopen, vroeg een van de mannen me of het waar was dat sommige mensen hun leven lang niet weten wat hun door God geschonken talenten zijn. Ik moest toege- ven dat ik patiënten had gehad die erg depressief waren en het gevoel hadden dat het leven aan hen was voorbijgegaan, maar anderen hadden wel hun bijdrage geleverd. Ja, moest ik toege- ven, veel mutanten wisten niet dat ze over een bepaalde gave beschikten en ze dachten niet over de zin van het leven na, tot ze op het punt stonden om te sterven. Hij kreeg dikke tranen in zijn ogen en schudde zijn hoofd om te laten zien hoe moei- lijk het was om te geloven dat zoiets kon gebeuren.

'Waarom kunnen mutanten niet begrijpen dat ze, als hun lied iemand gelukkig maakt, iets goeds hebben gedaan? Je helpt iemand, dat is goed. Je kunt er trouwens maar één tegelijk hel- pen.'

Ik vroeg of ze wel eens van Jezus hadden gehoord. 'Zeker,' was het antwoord. 'De missionarissen leerden ons dat Jezus de zoon van God is. Onze oudste broeder. Goddelijke Eenheid in de gedaante van een mens. Hij wordt als hoogste vereerd.

Eenheid kwam vele jaren geleden op aarde om de mutanten te leren hoe ze moesten leven, omdat ze dat hadden vergeten. Jezus kwam niet naar de stam van het Echte Volk. Hij had het kunnen doen, we waren hier, maar de boodschap was niet voor ons bedoeld. Ze was niet op ons van toepassing, omdat wij het niet hebben vergeten. Wij leven al volgens Zijn Waarheid. Voor ons,' gingen ze verder, 'is Eenheid geen ding. Mutanten hechten grote waarde aan een vorm. Ze kunnen niets accepteren dat onzichtbaar is en vormloos. God, Jezus, Eenheid, voor ons is dat geen wezen dat dingen omringt of ergens in aanwezig is, het is alles!'

Volgens de stamleden betekent leven beweging, vooruitgang en verandering. Ze spraken over levende en niet-levende tijd. Mensen leven niet wanneer ze kwaad of depressief zijn, medelijden met zichzelf hebben of vervuld zijn van angst. Ademhalen betekent niet dat iemand leeft. Het vertelt anderen alleen maar of een lichaam begraven moet worden of niet! Niet iedereen die ademt, is levend. Het is goed om negatieve emoties uit te proberen om te zien hoe dat voelt, maar in die toestand moet men zeker niet blijven. Wanneer de ziel een menselijke gedaante heeft aangenomen moet je ermee spelen, kijken hoe het aanvoelt om gelukkig te zijn of bedroefd, jaloers of dankbaar. Je moet echter wel iets leren van de ervaringen om er uiteindelijk achter te komen of ze goed of pijnlijk zijn.

Daarna hadden we het over spelletjes en sport. Ik vertelde de oermensen dat we in Amerika zoveel waarde hechten aan sport, dat rugbyspelers veel meer verdienen dan leraren. Daarna zei ik dat ik wel een spel kon laten zien en stelde voor om allemaal op een rij te gaan staan en dan zo snel mogelijk te gaan lopen. Wie het hardst liep, zou de winnaar zijn. Ze keken ernstig naar me met hun mooie grote donkere ogen en daarna naar elkaar. Eindelijk zei iemand: 'Maar als er één wint, hebben alle anderen toch verloren? Is dat leuk? Spelen moet leuk zijn. Waarom zou je iemand zoiets laten doen en daarna proberen hem ervan te overtuigen dat hij de echte win-

naar is? Vinden jouw mensen dat prettig?' Ik glimlachte alleen
en schudde van nee.

Vlakbij stond een dode boom. Ik vroeg een paar mensen om
me te helpen, en samen maakten we een wip door een lange
tak over een groot rotsblok te leggen. Dat vonden ze leuk, en
zelfs de oudste leden van de groep wilden meedoen. Ze maakten me duidelijk dat er dingen zijn die je eenvoudig niet alleen
kunt doen, en dit was er een van. Mensen van zeventig, tach-
tig, zelfs negentig jaar genoten als een kind van spelletjes die
geen winnaar of verliezer opleverden, alleen plezier voor iedereen.

Daarna gingen we touwtjespringen met buigzame, lange darmen van dieren, die we aan elkaar knoopten. We probeerden
ook een hinkelbaan op de grond te tekenen, maar het was in-
middels donker geworden en onze lichamen hadden rust nodig. Daarom stelden we dit spel uit tot een volgende keer.

Die nacht lag ik languit op mijn rug naar de ongelooflijk schit-
terende hemel te kijken. Het schouwspel was indrukwekken-
der dan diamanten op zwart fluweel in de etalage van een ju-
welierswinkel. Mijn aandacht werd als door een magneet naar
de helderste ster getrokken. Die leek me de weg te wijzen naar
het besef dat deze mensen niet oud worden zoals wij. Natuurlijk, op den duur verouderen hun lichamen, maar dat lijkt
meer op het langzaam en gelijkmatig opbranden van een
kaars. Ze hebben geen orgaan dat het begeeft wanneer ze
twintig jaar zijn, of veertig. Wat wij in de Verenigde Staten
stress noemen, leek nu op een uitvlucht.

Geleidelijk koelde mijn lichaam af. Ik had hevig getranspi-
reerd tijdens deze bijeenkomst, maar ik was er veel wijzer van
geworden. Hoe kon ik de mensen in mijn samenleving deelgenoot maken van wat ik hier had geleerd? Ze zouden me
nooit geloven, daar moest ik me op voorbereiden. Mensen
zouden zich deze manier van leven moeilijk kunnen voorstellen. Toch wist ik dat fysieke genezing op de een of andere manier gekoppeld moest worden aan het echte genezen van men-

sen, het herstellen van hun gewonde, bloedende, zieke en ge-
kwetste eeuwige leven. Ik staarde naar de hemel terwijl ik me
afvroeg: 'Hoe?'

21

Voorop

De zon kwam op en meteen werd het gloeiend heet. Het dagelijkse ritueel omvatte die ochtend iets bijzonders. Ik werd in
het midden geplaatst van onze halve cirkel die naar het oosten
uitzag. Ooota zei dat ik de Goddelijke Eenheid op mijn eigen
manier moest aanroepen en mijn gebed voor de vervulling van
de dag moest opzenden. Toen we ons na afloop van de ceremonie gereedmaakten om te vertrekken, werd me gezegd dat
het mijn beurt was om voorop te lopen. Ik moest de groep
aanvoeren. 'Maar dat kan ik niet,' zei ik. 'Ik weet niet waar we
heen gaan of hoe ik de weg moet vinden. Ik waardeer het aan-
bod, maar ik kan gewoonweg niet vooroplopen.'
'Je moet,' kreeg ik te horen. 'Het is zover. Om je huis, de
aarde, alle stadia van het leven en je relatie tot alles, zichtbaar
of onzichtbaar, te leren kennen, moet je ons voorgaan. Het is
prettig om een poosje als laatste in een groep te lopen en het is
aanvaardbaar om een tijd lang in het midden te blijven, maar
uiteindelijk moet iedereen op een gegeven moment vooropgaan. Je kunt niet begrijpen wat de rol van het leiderschap is
tot je die verantwoordelijkheid aanvaardt. Iedereen moet op
zijn tijd alle rollen vervullen, zonder uitzondering, vroeg of
laat, als het niet tijdens dit leven is, dan in een ander! De enige
manier om een proef te doorstaan is die proef af te leggen.

Alle proeven op elk niveau worden net zo lang herhaald tot je ervoor slaagt.'

En dus gingen we op weg met mij aan het hoofd. Het was een erg hete dag. De temperatuur leek boven de 43 graden. Midden op de dag hielden we stil en maakten van onze slaaphuiden een afdak tegen de zon. Nadat de ergste hitte voorbij was, liepen we door, lang nadat het gebruikelijke tijdstip waarop we ons kamp opsloegen, was aangebroken. We vonden geen planten of dieren op onze weg die ons tot voedsel konden dienen. De lucht om ons heen leek een heet, bewegingloos vacuüm. Ten slotte gaf ik het op en liet de groep halt houden voor de nacht.

Die avond vroeg ik om hulp. We hadden geen eten, geen water. Ik vroeg het aan Ooota, maar hij negeerde me. Daarna wendde ik me tot de anderen. Ik wist dat ze me niet konden verstaan, maar dat ze wel konden begrijpen wat mijn hart zei. 'Help me. Help ons!' herhaalde ik telkens en telkens weer, maar niemand reageerde.

In plaats daarvan spraken ze erover hoe iedereen soms achteraan loopt. Ik begon me af te vragen of de zwervers en de thuislozen in de Verenigde Staten misschien opzettelijk de rol van slachtoffer spelen. De meeste Amerikanen kiezen er immers voor om tot de middelmaat te behoren. Niet te rijk, niet te arm. Niet ernstig ziek, ook nooit helemaal gezond. Niet moreel zuiver, maar ook niet ernstig crimineel. Vroeg of laat moeten we vertrouwen hebben. Dan moeten we vooropgaan, al is het alleen maar vanwege onze eigen verantwoordelijkheid.

Ik viel in slaap terwijl ik mijn gebarsten lippen aflikte met een gevoelloze, droge tong. Het viel moeilijk te zeggen of mijn duizeligheid het gevolg was van honger, dorst, hitte of uitputting.

We liepen een tweede dag onder mijn leiding. Opnieuw was de hitte bijna ondraaglijk. Vandaag begon mijn keel op te zetten en ik had moeite met slikken. Mijn tong was door uitdroging bijna stijf en voelde veel groter aan dan normaal, een droge spons tussen mijn tanden. Ademhalen werd moeilijk. Terwijl ik probeerde de warme lucht zo diep mogelijk in mijn borstkas te laten doordringen, begon ik te begrijpen waarom de aboriginals zo blij zijn dat hun neus dezelfde vorm heeft als die van de koalabeer. Hun brede, platte neus en wijde neusgaten zijn beter aangepast aan de hoge temperatuur van de lucht dan mijn Europese mopneus.

De kale horizon werd steeds vijandiger en leek de mensheid te trotseren. Het land had elke strijd tegen de vooruitgang gewonnen en scheen nu alle leven als vijandig te beschouwen. Er waren geen wegen, geen vliegtuigen boven onze hoofden en we zagen zelfs geen sporen van dieren. Ik wist dat we, als de stamleden me niet spoedig te hulp zouden komen, een zekere dood zouden sterven. We kwamen slechts langzaam vooruit omdat we ons moesten dwingen de ene voet voor de andere te zetten. In de verte konden we een donkere, volle regenwolk zien die ons kwelde door ons steeds net ver genoeg voor te blijven, zodat we niet snel genoeg konden lopen om het verlossende geschenk dat ze bevatte op te vangen. Het was zelfs niet mogelijk zo dichtbij te komen dat we van de schaduw konden profiteren. We konden alleen in de verte kijken en wisten dat levensreddend water voor ons uit zweefde als een wortel voor de neus van een ezel.

Op een gegeven moment schreeuwde ik het uit. Misschien om mezelf te bewijzen dat ik het nog kon, misschien alleen maar uit wanhoop. Het bood echter geen verlichting. De wereld verzwolg het geluid alleen maar, als een verslindend monster. Koel water verscheen in fata morgana's voor mijn ogen, maar wanneer ik bij die plek aankwam, was er telkens niets dan zand.

De tweede dag ging voorbij zonder voedsel, water of hulp. Die avond was ik zelfs te uitgeput, te ziek en te ontmoedigd om de slaaphuid te pakken; ik geloof dat ik bewusteloos raakte in plaats van in slaap te vallen.

Op de ochtend van de derde dag ging ik alle mensen van de groep afzonderlijk langs en smeekte op mijn knieën om hulp, zo luid als mijn stervende lichaam het toeliet. 'Alsjeblieft, help me. Alsjeblieft, red ons.' Ik had grote moeite met spreken, omdat ik wakker was geworden met een tong die zo droog was, dat ze in mijn mond zat vastgekleefd. Ze luisterden en keken me strak aan, maar deden niets meer dan glimlachen. Ik kreeg de indruk dat ze dachten: Wij hebben ook honger en dorst, maar dit is jouw ervaring en daarom steunen we je onvoorwaardelijk bij datgene wat je moet leren. Niemand bood aan om te helpen.

We liepen en liepen. De lucht was doodstil, de wereld, die zich leek te verzetten tegen mijn binnendringen, volkomen ongastvrij. Er was geen hulp, geen uitweg. Mijn lichaam was gevoelloos van de hitte en reageerde nergens meer op. Ik was stervende. Dit waren tekenen van een fatale uitdroging. Dit was het. Ik was stervende.

Mijn gedachten sprongen van het ene onderwerp naar het andere. Ik dacht terug aan mijn jeugd. Mijn vader werkte keihard aan de Santa Fe-spoorlijn. Hij was erg knap. Ik kon me geen dag in mijn hele leven herinneren waarop hij er niet was om liefde, steun en aanmoediging te geven. Mijn moeder was altijd thuis voor ons. Ik dacht eraan terug dat ze de zwervers te eten gaf, die feilloos uit alle huizen van de stad dat ene kozen waar ze nooit werden geweigerd. Mijn zuster was een leergierige studente en zo knap en populair, dat ik urenlang naar haar kon kijken wanneer ze zich aankleedde om naar een afspraakje te gaan. Toen ik opgroeide, wilde ik net zo worden als zij. In gedachten zag ik mijn broertje met de hond spelen en klagen dat de meisjes op school altijd zijn hand wilden vasthouden. Als kinderen konden we alle drie goed met elkaar opschieten. We kwamen voor elkaar op, wat er ook gebeurde. Maar met het verstrijken van de jaren waren we ieder onze eigen weg gegaan. Mijn wanhoop van die dag zouden ze niet eens voelen.

Ik had gelezen dat, wanneer je sterft, je leven in een flits aan je voorbijtrekt. Mijn leven ging niet precies door mijn hoofd als een videofilm, maar de vreemdste herinneringen doemden bij me op. Ik zag mezelf in de keuken staan, borden afdrogend en tegelijkertijd proberend woorden te spellen. Het moeilijkste woord waarmee ik ooit had geworsteld, was airconditioning. Toen zag ik me verliefd worden op een zeeman, ons huwelijk in de kerk, de geboorte van mijn zoontje en daarna die van mijn dochter, van wie ik thuis beviel. Ik herinnerde me al mijn banen, mijn opleiding, mijn diploma's en besefte vervolgens weer dat ik dood zou gaan in de Australische woestijn. Waar ging het nu allemaal om? Had ik mijn levensbestemming volbracht? 'Lieve God,' zei ik inwendig. 'Help me te begrijpen wat er gebeurt.'

Het antwoord kwam ogenblikkelijk. Ik had bijna achttienduizend kilometer gereisd, ver van mijn Amerikaanse woonplaats, maar in mijn manier van denken was nog geen centimeter beweging gekomen. In mijn wereld gebruikten mensen de linkerhelft van hun hersenen. Ik was opgevoed met logica, verstand, lezen, schrijven, rekenen, oorzaak en gevolg. Hier was ik in de realiteit van de rechterhelft verzeild geraakt, bij mensen die geen van mijn zogeheten belangrijke opvoedkundige begrippen of behoeften van de beschaafde wereld nodig hadden. Ze waren meesters in het gebruik van die rechterhelft met hun creativiteit, verbeeldingskracht, intuïtie en spirituele opvattingen. Ze vonden het niet nodig woorden te gebruiken om te communiceren; dat werd gedaan door gedachten, gebed, meditatie, of hoe je het ook wilde noemen. Ik had met woorden gesmeekt om hulp. Wat moet ik in hun ogen dom hebben geleken. Ieder mens van het Echte Volk zou het in stilte hebben gevraagd, van geest tot geest, van hart tot hart, als individu tot het universeel bewustzijn dat alle leven met elkaar verbindt. Tot op dat moment had ik mezelf beschouwd als anders, afgescheiden, apart van het Echte Volk. Ze bleven zeggen dat we allen één zijn en ze leven als één in de natuur,

maar tot nu toe was ik slechts een toeschouwer geweest. Ik
had me op een afstand gehouden. Ik moest één worden met
hen, met het universum, en communiceren op de manier van
het Echte Volk. Dat deed ik. Inwendig dankte ik de bron van
deze openbaring en daarna riep ik in gedachten uit: 'Help me.
Alsjeblieft, help me.' Ik gebruikte de woorden die ik de stamleden elke morgen in de geest hoorde gebruiken. 'Als het van
het grootste belang is voor mij en in het grootste belang voor
alle leven, overal, laat het me dan leren.'
Er drong zich een gedachte aan me op: steek de steen in je
mond. Ik keek om me heen. Er waren geen stenen. We liepen
op fijn, poederig zand. Ik dacht opnieuw: steek de steen in je
mond. Toen schoot me de steen te binnen die ik destijds had
gekozen en die ik nog steeds tussen mijn borsten droeg.
Maandenlang had ik hem bij me gedragen en ik was hem totaal vergeten. Ik pakte de steen en stak hem in mijn mond,
schoof hem voorzichtig heen en weer en het wonder gebeurde, er begon zich vocht te vormen. Even later kon ik weer
slikken. Er was nog hoop. Misschien hoefde ik vandaag niet te
sterven.
'Dank je, dank je, dank je,' zei ik in stilte. Ik had willen huilen,
maar mijn lichaam had niet voldoende vocht over voor tranen.
Daarom ging ik door met langs telepathische weg om hulp te
vragen. 'Ik kan het leren. Ik zal alles doen wat nodig is. Help
me alleen bij het zoeken naar water. Ik weet niet wat ik moet
doen, waarnaar ik moet kijken, waarheen ik moet lopen.'
Er kwam een gedachte door: wees water. Wees water. Wanneer je water kunt zijn, zul je water vinden. Ik wist niet wat het
betekende. Het had geen zin. Wees water! Dat is niet mogelijk. Ik concentreerde me er echter weer op om logica en reden
uit te sluiten, stelde me open voor mijn intuïtie en, terwijl ik
mijn ogen sloot, werd ik water. Onder het lopen gebruikte ik
al mijn zintuigen. Ik kon water ruiken, proeven, voelen, horen, zien. Ik was koel, blauw, helder, modderig, stilstaand,
rimpelend, ijs, smeltend, damp, stoom, regen, sneeuw, nat,

voedselrijk, plassend, uitzettend, onbegrensd. Ik was elke denkbare vorm van water die bij me opkwam.

We liepen over een vlakte. Zover het oog reikte, was er niets te zien behalve een kleine geelbruine heuvel, een duin van ongeveer twee meter hoogte met een rotsrichel erbovenop. De heuvel leek niet thuis te horen in het sombere landschap. Ik liep tegen de helling op, bijna in trance, met mijn ogen half toegeknepen vanwege het felle licht, en ging op de rots zitten. Toen ik omlaag keek, zag ik daar al mijn behulpzame, onvoorwaardelijk liefhebbende vrienden staan. Ze keken naar me op met een brede lach van oor tot oor. Ik lachte zwakjes terug, waarna ik mijn linkerhand naar achteren stak om in evenwicht te blijven. Ik voelde iets nats en draaide met een ruk mijn hoofd om. Achter me, iets verder dan waar ik zat, was een poel tussen de rotsen, ruim drie meter in doorsnee en ongeveer een halve meter diep, gevuld met prachtig, kristalhelder water uit de tartende regenwolk van gisteren. Ik geloof dat ik me bij die eerste slok lauw water dichter bij onze Schepper voelde dan ik ooit gedaan had tijdens de communie in de kerk. Omdat ik geen horloge had, was ik niet zeker van de tijd, maar ik schat dat er niet meer dan een half uur was verstreken tussen het moment waarop ik water werd en we onze hoofden in de plas stopten en juichten van blijdschap.

Terwijl we nog in feeststemming waren, kwam een reuzenreptiel langslopen. Het dier was enorm groot en zag eruit of het uit prehistorische tijden stamde. Dit was geen illusie, maar werkelijkheid, en niets was beter geschikt voor onze avondmaaltijd dan dit science-fictionachtige schepsel. Het vlees bezorgde ons een heel behaaglijk gevoel.

Die avond keek ik omhoog naar het reusachtige uitspansel dat ons omringde en begreep in diepe dankbaarheid dat de wereld een plaats van overvloed is, vol vriendelijke, behulpzame mensen die hun leven met ons willen delen, wanneer we het maar toelaten. Er is voedsel en water, overal en voor iedereen, als we bereid zijn om te ontvangen èn om te geven. Bovenal waardeerde ik nu de overvloedige spirituele leiding die in mijn leven gekomen was. Er was hulp beschikbaar voor elke situatie, zelfs wanneer ik meende dat mijn laatste uur had geslagen, nu ik het punt was gepasseerd waarop ik de dingen op mijn manier deed.

22

Mijn gelofte

De aboriginals kennen geen verschil tussen de dagen van de week. Zo bestond er ook geen manier om erachter te komen in welke maand we leefden. Het was duidelijk dat tijd voor hen niet van belang was. Op een dag had ik het vreemde gevoel dat het Kerstmis was. Waarom weet ik niet. Er was niets dat ook maar in de verste verte leek op een versierde denneboom of een arreslee. Waarschijnlijk was het toch wel 25 december. Dat deed me denken aan de dagen van de week en aan een voorval dat een paar jaar daarvoor in mijn praktijk plaatsvond.
Er zaten twee dominees in de wachtkamer die het over godsdienst hadden. Ze raakten in een verhit debat gewikkeld over de vraag of de echte sabbat volgens de bijbel op zaterdag of op zondag viel. Hier in de outback vond ik deze herinnering nogal grappig. In Nieuw-Zeeland was het al de dag na Kerstmis en op dit moment was het kerstavond in de Verenigde Staten. Ik zag de kromme rode lijn voor me die in de wereldatlas dwars door de blauwe oceaan loopt. Daar begint de tijd, maar houdt er ook op. Bij een onzichtbare grens in een zee die voortdurend in beweging is, wordt iedere nieuwe dag van de week geboren.
Ook herinnerde ik me dat ik, als leerling aan de St. Agnes High School, op een vrijdagavond in Allen's snackbar op een

kruk zat. We hadden grote hamburgers voor ons staan en wachtten tot de klok het middernachtelijk uur had geslagen. Een hap vlees, op vrijdag genomen, betekende een doodzonde en eeuwige verdoemenis. Jaren later werden de voorschriften veranderd, maar niemand kon me antwoord geven op de vraag wat er nu gebeurde met die arme verdoemde zielen die al veroordeeld waren. Het leek nu allemaal zo zinloos.

Ik kon geen betere manier bedenken om Kerstmis te vieren dan de manier waarop het Echte Volk leeft. Ze gaan niet jaarlijks met vakantie, zoals wij. Ze vieren iets met ieder lid van de stam, ergens in de loop van het jaar, geen specifieke verjaardag, maar de erkenning voor het talent van iemand, zijn bijdrage aan de gemeenschap en zijn persoonlijke geestelijke groei. Ze vieren niet dat ze ouder worden; ze vieren dat ze een beter mens worden.

Een van de vrouwen vertelde me dat haar naam Tijdbewaarder was, zij had haar naam gekozen naar haar talent in het leven. De oermensen geloven dat we allen over vele gaven beschikken en dat we steeds verder komen door een opeenvolging van krachten. Zij was op dit moment een tijdkunstenares en ze werkte samen met iemand die de gave had van een gedetailleerd geheugen. Toen ik haar vroeg om dit nader uit te leggen, gaf ze ten antwoord dat de stamleden daarvoor om raad hadden gevraagd en dat ik later zou horen of ik in die kennis mocht worden ingewijd of niet.

Drie avonden gingen voorbij waarop de gesprekken niet voor me werden vertaald. Ik wist zonder het gevraagd te hebben dat de discussie ging over de vraag of ik al dan niet toegang kreeg tot bepaalde informatie. Ik wist ook dat het niet alleen om mij ging, maar om het feit dat ik alle mutanten van overal vertegenwoordigde. Het werd me duidelijk dat de Stamoudste tijdens die drie avonden ten gunste van mij sprak. Ook kreeg ik de indruk dat Ooota met de meeste tegenwerpingen kwam. Ik begreep dat ik was uitverkoren om een unieke ervaring te ondergaan, een eer die nooit tevoren aan een buitenstaander was bewezen. Misschien was de kennis van het bewaren van de tijd te veel gevraagd.

We bleven door de woestijn lopen. Het terrein bestond uit rotsen en zand met weinig begroeiing, maar het was heuvelachtiger dan dat waar we tot dusver doorheen waren getrokken. Het leek wel of we over een uitgesleten pad liepen dat door generaties van dit zwarte ras was betreden. Zonder voorafgaande waarschuwing hield de groep stil, waarna twee mannen naar voren kwamen die de struiken tussen twee bomen uiteenbogen en grote rotsblokken opzij rolden. Achter hen werd een opening zichtbaar in de zijkant van de heuvel. Het zand dat in de opening was gestoven, werd weggeschept. Ooota wendde zich tot mij en zei: 'Nu mag je weten wat tijd bewaren is. Wanneer je het eenmaal hebt gezien, zul je de tweestrijd begrijpen waarin mijn volk heeft verkeerd. Je mag deze heilige plaats niet binnengaan zonder de gelofte af te leggen dat je de locatie van deze grot aan niemand zult onthullen.'

Ik werd alleen buiten gelaten, terwijl de anderen naar binnen gingen. De geur van rook drong mijn neus binnen en ik zag ook sliertjes omhoog zweven bij de rots op de top van de heuvel. De stamleden kwamen een voor een naar me toe, de jongste het eerst. Hij pakte mijn handen, keek me in de ogen en zei iets in zijn eigen taal wat ik niet begreep. Ik kon zijn bezorgdheid voelen om wat ik zou doen met de kennis die ik op het punt stond te ontvangen. Uit de stembuiging, het ritme en de pauzes werd me duidelijk dat het welzijn van zijn volk voor het eerst aan een mutant zou worden getoond.

Vervolgens kwam de vrouw die ik kende als Verhalenverteller. Ook zij nam mijn handen en sprak tegen me. In het heldere zonlicht leek haar gezicht zwarter, terwijl haar dunne wenkbrauwen de blauwzwarte tint hadden van een pauweveer en het wit van haar ogen de kleur van kalk. Ze wenkte Ooota dat hij erbij moest komen om te vertalen. Terwijl ze mijn beide handen vasthield en me recht in de ogen keek, bracht hij haar woorden aan me over: 'De reden waarom je naar dit wereld-

deel bent gekomen is het lot. Voor je geboorte heb je een overeenkomst gesloten om iemand anders te ontmoeten en met
hem samen te werken voor jullie beider welzijn. De afspraak
was dat jullie elkaar niet zouden opzoeken voor er minstens
vijftig jaar zou zijn verstreken. Nu is het moment aangebroken. Je zult deze persoon herkennen, omdat jullie beiden op
hetzelfde ogenblik geboren zijn en er is herkenning op het niveau van de ziel. De overeenkomst is gesloten op het hoogste
niveau van jullie eeuwig leven.'
Ik was geschokt. Dezelfde informatie die ik had gekregen van
die vreemde jongeman in het restaurant, toen ik pas in Australië was, werd herhaald door deze oervrouw op leeftijd.
Vervolgens nam Verhalenverteller een handvol zand en legde
dat in mijn handpalm. Daarna nam ze nog een handvol,
spreidde haar vingers en liet het zand ertussendoor lopen, terwijl ze me beduidde om hetzelfde te doen. Dit werd viermaal
herhaald ter ere van de vier elementen: water, vuur, lucht en
aarde. Het overgebleven zand kleefde als poeder aan mijn vingers.
Stuk voor stuk kwamen ze naar buiten. Ieder van hen zei iets
tegen me en hield mijn handen vast. Maar Ooota vertaalde
hun woorden niet meer. Telkens wanneer iemand tegen me
had gesproken, ging hij of zij weer naar binnen en kwam de
volgende tevoorschijn. Tijdbewaarder zelf was een van de laatsten en ze was niet alleen. Herinneringbewaarder was bij haar.
Ze hielden elkaar bij de hand vast en pakten ieder een van mijn
handen. Gedrieën liepen we in een kring rond. Daarna raakten we, terwijl we elkaar nog steeds vasthielden, met onze vingers de grond aan, gingen vervolgens rechtop staan en strek-
ten onze armen uit naar de hemel. Dit werd zeven keer
gedaan, voor de zeven richtingen: noord, zuid, oost, west, boven, beneden en binnen.
Medicijnman kwam daarna en de Stamoudste was de laatste.
Hij had Ooota bij zich. Zij vertelden me dat de heilige plaatsen
van de aboriginals, waaronder die van het Echte Volk, niet lan-

ger aan de oermensen toebehoorden. De belangrijkste plaats voor alle stammen te zamen was vroeger *Uluru*, een gigantische rode heuvel in het midden van het land, die nu *Ayers Rock* wordt genoemd. Het is de grootste monoliet ter wereld, die tot een hoogte van 420 meter boven de vlakte uittorent en nu toegankelijk is voor toeristen. Die klimmen ertegenop als mieren en keren daarna terug naar hun bus, om de rest van de dag door te brengen met ronddobberen in het chloorwater van het zwembad bij een van de motels in de buurt. Ook al verklaart de regering dat de rots eigendom is van zowel de Britse loyalisten als van de aboriginals, het is duidelijk geen heilige plaats meer en kan niet worden gebruikt voor iets wat ook maar in de verte op een ritueel lijkt. Ongeveer 175 jaar geleden begonnen de mutanten palen te plaatsen voor telegraaflijnen, dwars door de open vlakten. De aboriginals moesten een andere plek zoeken voor hun stambijeenkomsten. Sindsdien zijn alle kunstvoorwerpen, historische rotstekeningen en relikwieën weggehaald. Sommige voorwerpen vonden een plaats in Australische musea, maar de meeste verdwenen naar het buitenland. De graven zijn leeggeroofd en de altaren werden van hun versierselen ontdaan. De stam gelooft dat de mutanten zo weinig begrip toonden, dat ze aannamen dat de riten van de aboriginals zouden ophouden wanneer de blanken hun heilige plaatsen wegnamen. Het is nooit bij hen opgekomen dat de oermensen dan ergens anders heen zouden gaan. Maar het betekende een verpletterende slag voor alle stambijeenkomsten en was het begin van wat uitliep op een totale uiteendrijving van de aboriginal-volkeren. Sommigen vochten terug en kwamen om in een bij voorbaat verloren strijd. De meesten trokken de wereld van de blanke mensen binnen, op zoek naar de beloofde voordelen, zoals onbeperkt voedsel, en stierven in armoede, de wettige vorm van slavernij.

De eerste blanke bewoners van Australië waren gevangenen, die met scheepsladingen tegelijk in ketenen aan land werden gezet. Op die manier werd het ruimtegebrek in Britse gevangenissen opgelost. Zelfs de militairen die werden uitgezonden om de misdadigers te bewaken, waren mensen die de legerleiding liever kwijt was. Geen wonder dat een veroordeelde die zijn straf had uitgezeten en die zonder geld en rehabilitatie werd losgelaten, een wrede rentmeester werd. De mensen over wie hij macht kon uitoefenen moesten zijn minderen zijn, en de aboriginals pasten in die rol.

Ooota onthulde dat zijn stam ongeveer twaalf generaties geleden naar deze plaats was geleid: 'Deze heilige plaats heeft ons volk levend gehouden sinds het begin der tijden, toen het land vol bomen was, zelfs toen de grote vloed kwam die alles overstroomde. Onze mensen waren hier veilig. De plaats is niet ontdekt door jullie vliegtuigen en de mensen van jouw volk kunnen niet lang genoeg in leven blijven in de woestijn om hem te vinden. Heel weinig mensen weten van het bestaan ervan. De oude voorwerpen van ons ras zijn door de blanken weggenomen. We bezitten nu niets anders meer dan wat je hier onder het aardoppervlak zult zien. Er is geen andere stam van aboriginals die nog materiële zaken heeft uit zijn geschiedenis. Alles is gestolen door de mutanten. Hier is alles bewaard wat nog over is van een heel volk, een heel ras, Gods Echte Volk. Gods eerste volk, de enige echte menselijke wezens die op de planeet zijn overgebleven.'

Geneesvrouw kwam die middag nog een keer naar me toe. Ze bracht een schaal rode verf mee. De kleuren die de stamleden gebruiken, vertegenwoordigen onder andere de vier lichaamscomponenten: beenderen, zenuwen, bloed en weefsel. Met handgebaren en telepathische instructies maakte ze me duidelijk dat ik mijn gezicht met rode verf moest beschilderen. Ik deed het. Vervolgens kwam iedereen weer naar buiten. Terwijl ik ieder nogmaals afzonderlijk in de ogen keek, beloofde ik telkens weer dat ik de ligging van deze heilige plaats nooit zou onthullen. Daarna begeleidden ze me de grot in.

23

Droomtijd onthuld

Binnen in de rots zag ik een gigantische ruimte. De wanden waren van massieve rotssteen en er liepen gangen in verschillende richtingen. Overal hingen kleurige vlaggen en op de vooruitspringende richels stonden beelden. Wat ik in een van de hoeken zag, deed me even aan mijn verstand twijfelen. Een tuin! De rotsen op de top van de heuvel zijn zo gerangschikt, dat het zonlicht naar binnen kan vallen en ik hoorde duidelijk het geluid van water dat op de stenen drupte. Het kwam onder de grond vandaan en werd door een buis geleid, waar het al die tijd dat we binnen waren door bleef stromen. De sfeer was onbedorven en eenvoudig, en gaf een gevoel van iets blijvends.

Dit was de enige keer dat ik bij de aboriginals iets zag wat op persoonlijke bezittingen leek. In de grot bewaarden ze hun ceremoniële voorwerpen en er waren uitgebreide voorzieningen voor de nacht, met veel huiden, die opeengestapeld lagen en comfortabele bedden vormden. Er waren snijwerktuigen, gemaakt van kamelehoeven. Eén ruimte was ingericht als museum, althans wij zouden dat zo noemen. Daar bewaarden ze een grote hoeveelheid zaken die hun verkenners door de jaren uit de steden hadden meegebracht. Er waren foto's uit tijdschriften van televisietoestellen, computers, auto's, tanks, lanceerinrichtingen voor raketten, gokautomaten, beroemde gebouwen, verschillende rassen en zelfs prachtig opgemaakte schotels met exclusieve gerechten in fraaie kleuren. Ze hadden ook voorwerpen uitgestald: zonnebrillen, een scheerapparaat, een riem, een ritssluiting, veiligheidsspelden, tangetjes, een thermometer, batterijen, verscheidene potloden en pennen en een paar boeken.

Dan was er een afdeling waar een produkt werd vervaardigd dat op stof leek. Ze ruilen wol en andere vezels met naburige stammen en soms worden er kleden gevlochten uit boombast. Soms wordt hier ook touw gemaakt. Ik zag een oude man zitten, die een paar vezels pakte en die op zijn dij heen en weer leek te rollen. Onder het draaien voegde hij er steeds meer materiaal aan toe tot hij een lange, enkele draad had. Deze werd met andere draden verweven tot er een touw van onregelmatige dikte ontstond. In de weefsels wordt ook veel haar verwerkt. Pas toen besefte ik dat deze mensen hun lichaam bedekt hadden, omdat ze wisten dat het voor mij erg moeilijk, misschien zelfs onmogelijk zou zijn, om op dit tijdstip in mijn leven te accepteren dat er mensen zijn die ongekleed rondlopen.

Ik viel van de ene verbazing in de andere. Tijdens de rondleiding zorgde Ooota voor de vertaling. Naar de ruimten die dieper in de rots lagen, moesten we toortsen meenemen, maar het centrale gedeelte had een plafond van rotsen dat van buitenaf verplaatst kon worden zodat er licht binnenviel dat varieerde van schemerig tot stralend helder. De grot van het Echte Volk wordt niet gebruikt voor rituelen. Elk moment van hun leven is een moment van verering. Deze voor hen zeer heilige plaats bevat de archieven van hun geschiedenis en daar leren ze de jongeren de Waarheid, om hun oude waarden niet verloren te laten gaan. Het is een toevluchtsoord, weg van de denkwijze van de mutanten.

Weer terug in de grootste ruimte pakte Ooota de van steen en hout gemaakte beelden, zodat ik ze van dichtbij kon bekijken.

Hij verklaarde dat aan de hoofdtooi de persoonlijkheid van het beeld te zien is. Een korte hoofdtooi betekende gedachten, geheugen, het nemen van beslissingen, fysiek bewustzijn van lichamelijke zintuigen, vreugde en pijn, allemaal zaken die ik in verband kon brengen met bewustzijn en onderbewustzijn. De grote hoofdtooi vertegenwoordigde scheppingsdrang, hoe mensen uit kennis kunnen putten en dingen kunnen uitvinden die tot dusver niet bestonden, hoe ze ervaringen kunnen opdoen die al dan niet echt zijn, toegang kunnen krijgen tot de wijsheid van alle schepselen en alle mensen die ooit hebben geleefd. Mensen zijn op zoek naar informatie maar schijnen zich niet te realiseren dat wijsheid ook graag gevonden wil worden. De grote hoofdtooi duidde ook op het eeuwige deel van ons waartoe we onze toevlucht kunnen nemen wanneer we willen weten of iets wat we van plan zijn, wel voor onze bestwil is. Dan was er nog een derde hoofdtooi, die uitwaaierde rondom het gebeeldhouwde gezicht en achter het lichaam langs tot op de grond viel. Deze beeldde de verbondenheid van alle kenmerken uit: de fysieke, de emotionele en de spirituele.

De meeste beelden waren zeer gedetailleerd. Ik was echter verbaasd dat er een bij was zonder pupillen in de ogen. Het leek op een nietsziend, blind symbool. 'Jullie geloven dat de Goddelijke Eenheid mensen ziet en beoordeelt,' zei Ooota. 'Wij denken dat de Goddelijke Eenheid de bedoelingen en de gevoelens van schepsels aanvoelt en niet zozeer is geïnteresseerd in wàt we doen als waarom we het doen.'

Die avond was de belangrijkste van de hele tocht. Toen begreep ik pas waarom de oermensen me hadden meegenomen en wat er van me werd verwacht. We hielden een ceremonie. Ik zag dat een paar van mijn reisgenoten verf maakten uit witte pijpaarde: twee tinten rode oker en een citroengele. Gereedschapmaker maakte penselen uit stokjes van ongeveer vijftien centimeter lang, die hij met zijn tanden uitrafelde. De stamleden werden beschilderd met ingewikkelde figuren en afbeeldingen van dieren. Ze trokken mij een kostuum aan dat bestond uit veren, waarbij die van de zacht vanillekleurige emoe. Ik moest de *kookaburra* voorstellen. Mijn rol in het ceremoniële toneelstuk bestond uit het uitbeelden van de vogel als boodschapper, die naar alle windstreken vloog. De kookaburra is mooi om te zien maar maakt een hard geluid dat wel eens wordt vergeleken met het balken van een ezel. Het is een grote vogel met een sterke overlevingsdrang, waardoor hij zeer geschikt is voor zijn taak.

Toen het zingen en dansen afgelopen was, vormden we met zijn negenen een kleine kring: Stamoudste, Ooota, Medicijnman, Geneesvrouw, Tijdbewaarder, Herinneringbewaarder, Vredemaker, Verwant-aan-Vogels en ikzelf.

Stamoudste zat op zijn knieën recht tegenover me; hij boog zich voorover om me recht in de ogen te kunnen zien. Iemand van buiten de kring overhandigde hem een met een vloeistof gevulde stenen drinkbeker. Hij nam een slokje. De doordringende blik tot in het diepst van mijn hart verzwakte niet terwijl hij de beker doorgaf aan degene die rechts van hem zat. Toen begon hij te spreken:

'Wij, de stam van het Echte Volk van de Goddelijke Eenheid, gaan de planeet Aarde verlaten. We hebben ervoor gekozen de tijd die ons rest op het hoogste niveau van geestelijk leven door te brengen: in celibaat, een manier om fysieke discipline te tonen. We zullen geen kinderen meer krijgen. Wanneer ons jongste stamlid is heengegaan, zal dat het einde betekenen van het zuivere, menselijke ras. We zijn eeuwige wezens. Er zijn veel plaatsen in het heelal waar zielen die ons volgen een lichamelijke gestalte kunnen aannemen. We zijn de rechtstreekse afstammelingen van de eerste schepselen. Sinds het begin der tijden hebben we de proef om te overleven moeten afleggen, onwrikbaar vasthoudend aan de oorspronkelijke waarden en wetten. Het is ons groepsbewustzijn dat de aarde bijeengehouden heeft. Nu hebben we toestemming gekregen om te vertrekken. De mensen op deze wereld zijn veranderd en hebben een deel van de ziel van het land weggegeven. We zullen ons ermee verenigen in de hemel. Jij bent uitgekozen als onze boodschapper om de mutanten te vertellen dat we weggaan. We dragen Moeder Aarde aan jullie over. We bidden dat jullie zullen inzien wat jullie manier van leven het water, de dieren, de lucht en jullie zelf aandoet. We bidden dat jullie een oplossing zult vinden voor je problemen, zonder deze wereld te vernietigen. Er zijn mutanten die op het punt staan hun individuele geest van het ware bestaan terug te vinden. Met voldoende inzet is er nog tijd om de verwoesting op de planeet tegen te gaan, maar wij kunnen jullie niet meer helpen. Onze tijd is om. De regenval is al veranderd, de hitte is toegenomen en we hebben waargenomen dat de voortplanting van planten en dieren is verminderd. We kunnen de geesten niet langer menselijke gedaanten geven om in te wonen, omdat er hier in de woestijn weldra geen water of voedsel meer zal zijn.'

Het duizelde me. Nu begon het zin te krijgen. Na al die tijd hadden ze besloten contact te zoeken met een buitenstaander, omdat ze een boodschapper nodig hadden. Maar waarom moest ik dat zijn?
De beker werd me aangereikt en ik nam een slok. De vloeistof had een doordringende smaak, zoiets als azijn gemengd met pure whisky. Daarna gaf ik de beker door naar rechts.
De Stamoudste sprak opnieuw. 'Nu is het tijd om je lichaam en je gedachten tot rust te laten komen. Slaap, mijn zuster. Morgen praten we verder.'
Het vuur was bijna uit. Er was nog slechts een gloeiende, rode stapel houtskool. De warmte die eruit opsteeg, trok de grot uit door wijde openingen in het rotsplafond. Ik kon niet slapen, en daarom gebaarde ik naar Vredemaker of we konden praten. Hij zei 'Ja' en Ooota was bereid om te vertalen. Gedrieën begonnen we een diepgaand en ingewikkeld gesprek.
Vredemaker, wiens gezicht even doorgroefd was als het landschap waar we doorheen waren gereisd, vertelde me dat de

aarde was ontstaan aan het begin van de tijd, in wat zij de droomtijd noemen. 'De Goddelijke Eenheid schiep het licht en de eerste zonnestralen doorbraken de totale, eeuwige duisternis. De leegte werd gevuld met tal van schijven die in de hemel ronddraaiden. Onze planeet was er een van. Ze was vlak en zonder speciale kenmerken. De oppervlakte was kaal en onbegroeid. Alles was stil. Er was geen enkele bloem die kon wiegen op de wind, er was zelfs geen briesje en er waren geen vogels die de stilte verbraken. Toen gaf de Goddelijke Eenheid aan elke schijf kennis, die voor iedere planeet anders was. Eerst kwam het bewustzijn. Daaruit ontstonden water, land en de atmosfeer. Alle tijdelijke levensvormen werden geschapen. Mijn volk gelooft dat mutanten het moeilijk vinden een definitie te geven van wat jullie God noemen, omdat ze alleen in vormen kunnen denken. Voor ons heeft de Eenheid geen afmetingen, vorm of gewicht. Eenheid is essentie, creativiteit, zuiverheid, liefde en onbegrensde, onbeperkte energie. Veel verhalen van de oerbewoners gaan over een Regenboogslang die de golvende lijn uitbeeldt van energie of bewustzijn, een lijn die begint als volkomen vrede, verandert van trilling en wordt tot geluid, kleur en vorm.'

Ik begreep dat het niet het bewustzijn was in de zin van wakker of bewusteloos zijn, dat Ooota probeerde te verklaren, maar eerder een soort van scheppingsdrang. Het is alles. Het bestaat in stenen, planten, dieren en in de mens. Mensen werden geschapen, maar het menselijk lichaam bevat alleen het deel van ons dat eeuwig is. Andere eeuwige wezens bestaan op andere plaatsen in het heelal. De oermensen geloven dat de Goddelijke Eenheid eerst de vrouw schiep, en dat de wereld naar zijn bestaan werd gezongen. De Goddelijke Eenheid is geen persoon. Ze is God, een oppermachtige, volkomen positieve, liefhebbende kracht, die de wereld schiep door energie te ontwikkelen.

Ze geloven dat de mens naar Gods beeld werd geschapen, maar niet het fysieke beeld, omdat God geen lichaam heeft.

Zielen werden gemaakt naar het voorbeeld van de Goddelijke Eenheid, wat betekent dat ze in staat zijn tot zuivere liefde en vrede en de gave bezitten om te scheppen en dingen te verzorgen. We hebben een vrije wil gekregen en kunnen deze planeet gebruiken als een plaats om te leren omgaan met gevoelens, die alleen ontstaan wanneer de ziel een menselijke gedaante heeft aangenomen.

Droomtijd bestaat uit drie gedeelten, vertelden ze me. Het was de tijd vóór de tijd; droomtijd was er ook toen het land er was maar nog geen karakter had. De mensen uit de vroegste tijd ontdekten dat ze, wanneer ze experimenteerden met gevoelens en daden, de vrijheid hadden om kwaad te zijn als ze dat wilden. Ze konden zoeken naar zaken waarover ze kwaad wilden worden of situaties scheppen die boosheid opriepen. Maar bezorgdheid, hebzucht, lust, leugens en macht zijn niet de gevoelens en emoties waaraan tijd moet worden besteed om ze te ontwikkelen. Om dit te illustreren verdwenen de vroegste mensen en in hun plaats verscheen een rotsmassa, een waterval, een klip of wat dan ook. Deze zaken bestaan nog steeds op de wereld en zijn plaatsen van overdenking voor iedereen die verstandig genoeg is om iets van ze te leren. Bewustzijn heeft de werkelijkheid gevormd. Het derde deel van droomtijd is de huidige tijd. Het dromen gaat nog steeds door; bewustzijn is steeds bezig met het scheppen van onze wereld.

Dat is een van de redenen waarom ze niet geloven dat het ooit de bedoeling is geweest dat land iemands bezit was. Land behoort aan alle dingen. De echte manier waarop mensen moeten leven, is afspraken maken en met elkaar delen. Bezit betekent anderen uitsluiten voor eigen genot. Voor de Engelsen kwamen, was niemand in Australië zonder land.

De stam gelooft dat de eerste aardse mensen in Australië verschenen toen al het land op aarde nog met elkaar verbonden was. Wetenschappers verwijzen naar één enkele landmassa, die ongeveer 180 miljoen jaar geleden bestond onder de naam

Pangea en die uiteindelijk in tweeën spleet. Laurasis omvatte de noordelijke continenten en Gondwanaland omvatte Australië, Antarctica, India, Afrika en Zuid-Amerika. India en Afrika dreven 65 miljoen jaar geleden weg, waarbij Antarctica in het zuiden bleef en Australië en Zuid-Amerika ertussenin terechtkwamen.

Volgens de stamleden gingen de mensen al vroeg in de geschiedenis van het menselijke ras op onderzoek uit. Ze gingen op walkabouts, steeds verder weg, waarbij ze met nieuwe situaties werden geconfronteerd, zij gingen agressieve gevoelens koesteren en ondernamen acties om te overleven, in plaats van te vertrouwen op basisprincipes. Hoe verder ze kwamen, des te meer hun overtuigingen en hun waarden veranderden. Ten slotte werd zelfs hun uiterlijk lichter van kleur in het koelere noordelijke klimaat. Ze discrimineren niet vanwege iemands huidkleur, maar ze geloven dat we allemaal met dezelfde kleur zijn begonnen en dat we weer teruggaan naar één kleur voor iedereen.

Mutanten omschrijven ze als mensen met bepaalde kenmerken. Ten eerste kunnen mutanten niet meer in de open lucht leven. De meesten sterven zonder ooit geweten te hebben hoe het voelt om naakt in de regen te staan. Ze besteden tijd aan het bouwen van woningen met kunstmatige warmte en koeling, en krijgen een zonnesteek wanneer ze buiten zijn bij gewone temperaturen.

Ten tweede beschikken mutanten niet meer over de goede spijsvertering van het Echte Volk. Hun eten moet fijngemalen of vloeibaar zijn, en moet worden gekookt of geconserveerd. Het is zelfs zover gekomen, dat ze allergieën hebben ontwikkeld voor het gewoonste voedsel en voor pollen in de lucht. Soms kan een mutantenbaby de melk van zijn eigen moeder niet verdragen.

Bovendien hebben mutanten een beperkt begripsvermogen, omdat ze de tijd meten volgens hun eigen normen. Ze kennen geen andere tijd dan vandaag en vernietigen daarom dingen zonder acht te slaan op morgen.

Het grote verschil tussen de mens van nu en zijn oorsprong is echter dat mutanten angst in zich hebben. Het Echte Volk kent geen vrees. Mutanten bedreigen hun kinderen. Ze hebben wetshandhaving nodig en gevangenissen. De veiligheid van een regering is gebaseerd op het met wapens bedreigen van andere landen. Volgens de stam is vrees een emotie uit het dierenrijk. Daar speelt ze een belangrijke rol in de strijd om te overleven. Maar als mensen weten dat er een Goddelijke Eenheid is en begrijpen dat het heelal niet toevallig is ontstaan, maar is geschapen volgens een bepaald plan en nog steeds in ontwikkeling is, kunnen ze geen angst hebben. Je hebt òf vertrouwen òf vrees, niet allebei. Bezit wekt angst op, volgens de oermensen. Hoe meer dingen je bezit, hoe banger je bent en ten slotte leef je je leven alleen om het bezit.

Het Echte Volk vond het belachelijk, toen de missionarissen erop aandrongen dat ze de kinderen moesten leren om hun handen te vouwen om een gebed van twee minuten uit te spreken voor het eten. Ze worden al dankbaar wakker! Ze nemen de hele dag niets als vanzelfsprekend aan. Als missionarissen hun eigen kinderen moeten leren om dankbaar te zijn, iets wat ieder mens is aangeboren, dan moeten ze volgens de stam hun eigen samenleving eens kritisch bekijken. Misschien ontdekken ze dan dat ze zelf hulp nodig hebben.

De aboriginals kunnen ook niet begrijpen waarom ze van de missionarissen de aarde niet mogen eren. Iedereen weet dat hoe minder je van het land neemt, des te minder je eraan verschuldigd bent. Het Echte Volk ziet het niet als heidens wanneer je je schuld voldoet of je dankbaarheid aan de aarde toont door een paar druppels van je eigen bloed in het zand te laten vallen. Ook zijn ze ervan overtuigd dat het juist is om de individuele wens van iemand te eerbiedigen, wanneer deze geen voedsel meer tot zich wil nemen en in de open lucht blijft zitten om zijn aardse bestaan te beëindigen. Ze geloven niet dat dood door ziekte of een ongeval natuurlijk is. Je kunt tenslotte niet iets doden dat eeuwig is. Je hebt het niet geschapen dus je kunt het niet doden. Ze geloven in de vrije wil: als de ziel er in vrijheid voor heeft gekozen om te komen, hoe kunnen er dan regels bestaan die zeggen dat de ziel niet naar huis mag terugkeren?

Volgens hen is de natuurlijke manier om een einde te maken aan het bestaan als mens het volgen van iemands eigen wil en keuze. Wanneer iemand op de leeftijd van 120 of 130 jaar graag wil terugkeren naar de eeuwigheid, maakt hij daar, na aan de Eenheid te hebben gevraagd of het in het algemeen belang is, een feestelijke gebeurtenis van.

Eeuwenlang hebben de mensen van het Echte Volk dezelfde zin uitgesproken tegen elk pasgeboren kind. Iedereen heeft precies dezelfde eerste menselijke woorden gehoord: 'We houden van je en we staan je bij op je reis.' Bij de viering van het einde wordt degene die gaat vertrekken door iedereen omhelsd en dan wordt die zin herhaald. Wat je hebt gehoord toen je kwam, hoor je ook wanneer je weggaat! Dan gaat zo iemand in het zand zitten en sluit zijn lichaamsfuncties af. Binnen twee minuten is hij weg. Er is geen verdriet en geen rouw. Ze beloofden me hun techniek voor het overgaan van het menselijke niveau naar het onzichtbare te leren, wanneer ik gereed was voor de verantwoordelijkheid van deze wetenschap.

Het woord mutant schijnt een toestand van hoofd en hart te betekenen, niet een kleur of een persoon. Het is een levensopvatting! Een mutant is iemand die de oeroude herinnering aan universele waarheden heeft verloren of verdrongen.

Ten slotte kwam er een eind aan ons gesprek. Het was erg laat en we waren allemaal uitgeput. Gisteren was deze grot leeg, nu was ze vol leven. Gisteren bevatte mijn hoofd de kennis die ik tijdens jaren van studie had vergaard, nu leek het een spons die andere, belangrijker dingen opzoog. Hun opvattingen waren zo uitzonderlijk en gingen zo diep, dat ik ze nauwelijks kon begrijpen. Daarom was ik dankbaar dat ik in een toestand van vredige bewusteloosheid raakte.

24

Archieven

De volgende ochtend mocht ik het gedeelte zien dat de oermensen Tijdbewaren noemen. Ze hebben een opening in de
rots gemaakt zodat het licht van de zon door een schacht naar
binnen valt. Slechts één keer per jaar vindt dat plaats volgens
een bepaald patroon. Dan weten ze dat er een vol jaar is verstreken sinds de laatste keer en er vindt een ceremonie plaats
waarin de vrouwen die Tijdbewaarder en Herinneringbewaarder genoemd worden, centraal staan. Zij voeren dan hun jaarlijkse ritueel uit door op de rotswand een tekening te maken
van alle belangrijke gebeurtenissen die de afgelopen zes sei-
zoenen hebben plaatsgevonden bij de stamleden. Alle geboorten en sterfgevallen worden vastgelegd volgens de dag van het
seizoen en de stand van de zon of de maan, samen met andere
belangrijke waarnemingen. Ik telde meer dan honderdzestig
van deze ingekerfde tekeningen en schilderingen. Zo kon ik
uitrekenen dat het jongste stamlid dertien jaar moest zijn en
dat er vier mensen ouder dan negentig jaar in de groep waren.
Ik was er niet van op de hoogte dat de Australische regering
ooit had deelgenomen aan nucleaire activiteiten tot ik het op
de rotswand getekend zag. De regering had er blijkbaar geen
idee van dat er mensen in de buurt van de basis waren geweest. Ook het bombardement op Darwin door de Japanners

was op de muur vermeld. Zonder pen of papier te gebruiken wist Herinneringbewaarder de juiste volgorde waarin elke belangrijke gebeurtenis moest worden vastgelegd.

Toen Tijdbewaarder hun verantwoordelijkheid voor het inhakken en schilderen beschreef, had haar gezicht de verrukte uitdrukking van een kind dat net een prachtig cadeau heeft gekregen. Beide vrouwen waren al op leeftijd. Ik verbaasde me erover dat, terwijl onze samenleving zo vol is met oudere mensen die vergeetachtig of seniel zijn, die nergens meer op reageren en op wie je niet meer kunt vertrouwen, de mensen hier in de wildernis verstandiger worden naarmate ze ouder worden en een waardevolle bijdrage leveren aan discussies. Ze zijn steunpilaren en voorbeelden voor de anderen.

Ik rekende terug en vond op de rotswand de tekening die mijn geboortejaar uitbeeldde. Daar, in het jaargetijde waarin de maand september valt, op wat wij de negenentwintigste dag zouden noemen, was in de vroege ochtenduren een geboorte geregistreerd. Ik vroeg wie het was en hoorde dat het Zwarte Koningszwaan was, nu bekend als de Stamoudste.

Mijn mond viel nog net niet open van verbazing maar het scheelde niet veel. Hoe groot is de kans om iemand te ontmoeten die op dezelfde dag, in hetzelfde jaar en op hetzelfde uur geboren is als jij, aan de andere kant van de wereld? Een ontmoeting die bovendien is voorspeld? Ik zei tegen Ooota dat ik Zwarte Koningszwaan alleen wilde spreken. Hij zorgde ervoor.

Jaren geleden was aan Zwarte Koningszwaan verteld dat hij een geestelijke partner had die in een mens huisde die geboren was op de top van de wereld, waar de mutanten woonden. Als jongen had hij zich in de Australische gemeenschap willen wagen om die persoon te zoeken, maar hij kreeg te horen dat hij zich moest houden aan de afspraak dat beide partners eerst ten minste vijftig jaar lang hun waarden moesten ontwikkelen.

We vergeleken onze geboorten. Zijn leven was begonnen toen

zijn moeder, alleen, na dagenlang reizen naar een speciale plek, was gekomen en daar gehurkt ging zitten boven een in het zand gegraven kuil die gevoerd was met het zachte bont van een zeldzame albino koalabeer. Het mijne begon in een wit steriel ziekenhuis in Iowa, nadat ook mijn moeder kilometers ver van Chicago was gereisd naar de plaats van haar keuze. Zijn vader was op reis en bevond zich op kilometers afstand toen de geboorte plaatsvond. De mijne eveneens. Tot nu toe was Zwarte Koningszwaan tijdens zijn leven verscheidene malen van naam veranderd. Ik ook. Hij vertelde de bijzonderheden van elke verandering. De zeldzame witte koala die op de weg van zijn moeder was verschenen, duidde erop dat de geest van het kind dat ze droeg bestemd was voor het leiderschap. Persoonlijk had hij verwantschap gevoeld met de zwarte zwaan die in Australië voorkomt en had later de zwaan gecombineerd met een verfraaiing die voor mij met 'koninklijk' werd vertaald. Ik vertelde hem over de omstandigheden waardoor mijn naam was veranderd.

Het deed er niet echt toe of onze verbondenheid een mythe was of een feit. Op dat moment werd het een wezenlijke relatie en we voerden tal van vertrouwelijke gesprekken. De meeste onderwerpen waren van persoonlijke aard en doen hier niet ter zake, maar belangrijk is wel wat ik als zijn belangrijkste verklaring zie.

Zwarte Koningszwaan zei me dat er in deze wereld van persoonlijkheden altijd sprake is van tweevoudigheid. Ik legde dat uit als goed tegenover kwaad, slavernij tegenover vrijheid, overeenstemming en het tegenovergestelde daarvan. Dat bleek echter niet het geval. Het is niet zwart of wit, het zijn altijd tinten grijs. Het belangrijkste daarvan is dat het grijs in een positieve vorm terugkeert naar de schepper. Ik maakte een grapje over onze leeftijd en zei tegen hem dat ik nog eens vijftig jaar nodig had om het allemaal te kunnen begrijpen.

Later die dag ontdekte ik in de ruimte van de Tijdbewaarder dat de aboriginals de uitvinders zijn van het spuiten met verf.

Vanwege hun grote zorg voor het milieu gebruiken ze geen giftige chemicaliën; ze hebben geweigerd met de tijd mee te gaan, en daarom wordt de methode die ze in het jaar 1000 hebben gekozen, tot op de dag van vandaag toegepast. Ze schilderden een deel van de wand donkerrood, met gebruikmaking van hun vingers en een kwast van dierlijk haar. Een paar uur later was het droog en toen werd me gewezen hoe ik witte verf kon maken door op een plat stukje boombast kalkrijke klei te mengen met water en hagedisse-olie. Toen het goed vermengd was, vouwden ze de bast tot een trechter, waarna ik de verf in mijn mond moest gieten. Het voelde vreemd aan op mijn tong, maar er zat weinig smaak aan. Vervolgens legde ik mijn hand tegen de rode muur en begon de verf om mijn gespreide vingers uit te spugen. Ten slotte haalde ik mijn hand weg en daar was het merkteken van de mutant op de heilige muur. Ik voelde me even vereerd als wanneer mijn gezicht op het plafond van de Sixtijnse kapel zou zijn afgebeeld.

Ik bracht een hele dag door met het bestuderen van de afbeeldingen op de rotswand. De heerser van Engeland stond erop vermeld, de invoering van geld als ruilmiddel, de eerste auto, een vliegtuig, de eerste straaljager, satellieten die boven Australië cirkelden, zonsverduisteringen, zelfs iets wat op een vliegende schotel leek, met mutanten die er meer gemuteerd uitzagen dan ik! Er werd me uitgelegd dat sommige afbeeldingen ooggetuigenverslagen waren van vroegere Tijdbewaarders en Herinneringbewaarders, terwijl andere waren verteld door verkenners die naar bewoonde gebieden waren uitgezonden.

Eerst stuurden ze er jonge mensen op uit, maar het bleek dat die taak voor hen te moeilijk was. Jongeren raakten al snel onder de indruk door het vooruitzicht een open vrachtauto te bezitten, elke dag ijs te kunnen eten en gebruik te kunnen maken van alle wonderen van de industriële wereld. Ouderen waren standvastiger. Ze voelden de aantrekkingskracht wel, maar gaven er niet aan toe. Niemand werd echter tegen zijn wil vastgehouden door zijn familieleden. Soms kwam een verloren gewaand stamlid terug. Ooota was direct na zijn geboorte bij zijn moeder weggehaald. Dat was in het verleden niet alleen gebruikelijk, maar zelfs wettelijk verplicht. Om de heidenen te bekeren en hun zielen te redden werden kinderen in tehuizen geplaatst, waar hun werd verboden hun eigen taal te leren of rituelen te volvoeren. Ooota was zestien jaar lang opgegroeid in de stad voor hij wegliep om zijn stam te zoeken.

We moesten allemaal lachen toen Ooota vertelde dat de overheid soms woonruimte verschafte aan de aboriginals. De mensen sliepen in de tuin en gebruikten het huis als opslagplaats. Daarmee kwamen ze op het onderwerp geschenken. Volgens de stam is een geschenk alleen dan een geschenk als je iets geeft wat de ander wil hebben. Het is geen geschenk als je geeft wat jíj wilt dat hij zal ontvangen. Een geschenk brengt geen verplichtingen met zich mee, het wordt onvoorwaardelijk gegeven. De ontvanger mag ermee doen wat hij wil: gebruiken, vernietigen, weggeven, wat dan ook. Het is van hem en de gever verwacht er niets voor terug. Als het niet aan die criteria voldoet, is het geen geschenk, maar wordt het als iets anders gezien. Ik moest het met hen eens zijn dat geschenken van de overheid en helaas ook het meeste van wat mijn samenleving als geschenk zou beschouwen, door de oermensen niet als zodanig zou worden opgevat. Ik kon me echter ook verschillende mensen uit mijn omgeving herinneren die voortdurend geschenken geven zonder dat ze zich daarvan bewust zijn. Ze spreken iemand opbeurend toe, maken anderen deelgenoot van grappige gebeurtenissen, bieden een schouder om op uit te huilen of zijn eenvoudigweg vrienden op wie je kunt bouwen.

De wijsheid van deze mensen was een voortdurende bron van verbazing voor me. Als zij leidinggevende figuren zouden zijn in onze wereld, zouden de verhoudingen heel anders liggen!

25

Opdracht

De volgende dag mocht ik binnengaan in het zwaarst beschermde deel van het ondergrondse complex. Dit gedeelte
werd door de stam als het allerbelangrijkste beschouwd en
was het voornaamste punt van de discussie die ze hadden gevoerd over het feit of ik wel kon worden toegelaten. We hadden toortsen nodig om het vertrek, dat geheel was ingelegd
met geslepen opalen, te verlichten. Het schijnsel van de vlammen dat weerkaatste van de wanden, de vloer en het plafond
bracht een schittering in alle kleuren van de regenboog teweeg. Ik had nog nooit zoiets gezien. Het leek of ik in een
kristal stond met dansende kleuren onder, boven en opzij van
me. Dit was de ruimte waar de stamleden formeel heen gingen om rechtstreeks in contact te komen met de Eenheid, in
wat wij meditatie zouden noemen. Ze legden uit dat het verschil tussen het gebed van een mutant en de communicatie-
vorm van het Echte Volk hierin schuilt dat bij een gebed hoorbaar wordt gesproken tegen de geestelijke wereld, maar dat zij
juist het tegenovergestelde doen. Ze luisteren. Ze bannen alle
gedachten uit hun hoofd en wachten tot ze iets ontvangen. De
achterliggende gedachte schijnt te zijn: je kunt de stem van de
Eenheid niet horen wanneer je zelf druk bezig bent met praten.

In deze ruimte zijn veel huwelijksceremoniën gehouden en hebben officiële naamsveranderingen plaatsgevonden. Vaak willen oudere stamleden er nog een bezoek aan brengen voor ze sterven. In het verleden, toen de leden van dit ras de enige bewoners van het continent waren, gebruikten de verschillende stammen diverse methodes om iemand te begraven. Sommigen begroeven hun doden, omwikkeld als mummies, in graven die in de berghellingen waren uitgehouwen. *Ayers Rock* huisvestte vroeger een groot aantal overledenen, maar dat is nu allemaal voorbij. De stamleden hechten weinig betekenis aan een dood menselijk lichaam, daarom wordt het vaak begraven in een ondiepe kuil in de grond. Ze geloven dat het juist is dat het lichaam uiteindelijk aan de aarde wordt teruggegeven om daarin te worden opgenomen. Sommige aboriginals vragen nu om onbedekt in de woestijn te worden achtergelaten en zo tot voedsel te dienen voor het dierenrijk, dat hen tijdens de levenscyclus zo trouw van eten voorziet. Het grote verschil is, voor zover ik kan nagaan, dat de leden van het Echte Volk weten waar ze naartoe gaan wanneer ze hun laatste sterfelijke adem uitblazen, en de meeste mutanten niet. Als je het weet, ga je vredig en in vol vertrouwen heen; als je het niet weet, betekent het een worsteling.

In de met juwelen versierde kamer wordt de stamleden ook heel bijzondere dingen geleerd. Er wordt hun onder meer de kunst van het verdwijnen bijgebracht. Lange tijd heeft het gerucht de ronde gedaan dat aboriginals spoorloos kunnen verdwijnen wanneer er gevaar dreigt. Veel van de stamleden die nu in de steden wonen, zeggen dat het niet juist is en dat hun volk nooit bovennatuurlijke gaven heeft bezeten. Zij hebben het echter bij het verkeerde eind. De kunst der illusie staat hier in de woestijn op een hoog peil. Het Echte Volk kan ook de illusie wekken zich te vermenigvuldigen. Ze kunnen het laten voorkomen alsof er tien of vijftig mensen zijn in plaats van een. Deze techniek gebruiken ze in plaats van wapens om te overleven. Ze profiteren van de angst die bij andere rassen heerst. Het is niet nodig om die met een speer uit te roeien; ze wekken gewoon de illusie van een massa tegenstanders, zodat de geschrokken mensen gillend wegrennen en later verhalen vertellen over demonen en tovenarij.

We bleven slechts enkele dagen op de gewijde plaats, maar voor we weggingen, werd er een ceremonie gehouden in de heilige ruimte, waarbij ik tot woordvoerder van de stam werd verheven. Ze voerden een speciaal ritueel uit voor mijn bescherming in de toekomst. Het begon met de zalving van mijn hoofd. Een rand van zilvergrijs koalabont met in het midden een in hars gevatte, gepolijste opaal werd op mijn voorhoofd gezet. Daarna werd mijn hele lichaam, ook mijn gezicht, met veren beplakt. Iedereen droeg een kostuum van veren. Het was een plechtige gebeurtenis waarbij windgongen werden gebruikt, die in beweging werden gebracht door waaiers, gemaakt van veren en riet. Het geluid was even mooi als dat van orgels die ik in wereldberoemde kathedralen had gehoord. Ook bliezen ze op pijpen van klei en op een kort houten instrument waarvan de klank veel op die van een dwarsfluit leek. Toen wist ik dat ik volledig was geaccepteerd. Ik was geslaagd voor de proeven waaraan ze me hadden onderworpen, hoewel me niet van tevoren was gezegd dat ik die moest afleggen en ik evenmin de bedoeling ervan kende. Terwijl ik in het midden van hun kring stond, werd toegezongen en luisterde naar de oeroude, zuivere klanken van hun muziek, was ik diep ontroerd. De volgende morgen verliet slechts een klein deel van de oorspronkelijke groep de geheime plek om de reis samen met mij voort te zetten. Waarheen? Ik wist het niet.

26

Niet gefeliciteerd met je verjaardag

Tijdens onze tocht vierden we tweemaal feest om het talent van iemand te eren. Voor iedereen wordt wel eens een feest gehouden, maar dat heeft niets te maken met leeftijd of verjaardag, het is de erkenning van iets unieks en van iemands bijdrage aan het leven. Ze geloven dat het verstrijken van de tijd bedoeld is om iemand beter en wijzer te laten worden, om steeds meer van iemands persoonlijkheid naar voren te brengen. Dus als je nu een beter mens bent dan vorig jaar – en de enige die dat met zekerheid kan weten ben je zelf – dan vier je feest. Wanneer jij zegt dat je eraan toe bent, zal iedereen daarmee instemmen.

Een van de feesten die we vierden was voor een vrouw wier talent, of medicijn, in het leven was dat ze kon luisteren. Haar naam was Geheimbewaarder. Het gaf niet waar iemand over wilde praten, wat hij wilde bekennen of naar voren brengen, ze was altijd beschikbaar. Ze beschouwde de gesprekken als een privé-aangelegenheid, gaf niet echt advies en had evenmin een oordeel. Geheimbewaarder hield de hand van degene die wilde praten vast of liet zijn hoofd in haar schoot rusten en luisterde alleen maar. Daardoor werden mensen aangemoedigd om hun eigen oplossingen te zoeken en te doen wat hun hart hun ingaf.

Ik dacht aan de mensen in de Verenigde Staten, aan het grote aantal jongeren dat geen doel of inhoud aan zijn leven kan geven, aan de thuislozen die denken dat ze de gemeenschap niets te bieden hebben, aan de verslaafden die in een andere wereld willen leven dan de onze. Kon ik hen maar hiernaartoe halen om hun te laten zien hoe weinig er soms voor nodig is om iets nuttigs te doen voor je omgeving en hoe goed het is om een gevoel van eigenwaarde te hebben.

Deze vrouw kende haar sterke punten en iedereen was ermee bekend. Geheimbewaarder zat iets hoger dan de rest van onze groep. Ze had gevraagd of het heelal voor kleurig voedsel zou kunnen zorgen, als dat mogelijk was. En jawel, die avond vonden we planten met bessen, en druiven.

Een paar dagen daarvoor hadden we het in de verte zien regenen en in kleine poeltjes vonden we een groot aantal kikkervisjes. Ze werden op de hete stenen gelegd en droogden snel uit, weer een vorm van voedsel die ik nooit voor mogelijk had gehouden. Op ons feestmenu stond verder nog vlees van een onaantrekkelijke modderkruiper.

Er werd op het feest muziek gemaakt. Ik leerde de stamleden een volksdans uit Texas, aangepast aan het ritme van hun trommels, en het duurde niet lang of iedereen was erg vrolijk. Daarna vertelde ik dat mutanten graag met een partner dansen en vroeg Zwarte Koningszwaan ten dans. Hij leerde de walspassen heel snel, maar we konden niet de goede maat houden. Ik begon een wals te neuriën en moedigde iedereen aan om mee te doen. Korte tijd later was de hele groep aan het walsen in de Australische open lucht. Die avond besloten ze dat ik in mijn land misschien al genoeg aan geneeskunde had gedaan en dat ik verder zou kunnen gaan in de muziek! Dat was het moment waarop de aboriginals één naam voor me bedachten. Ze vonden dat ik meer dan een gave bezat en ontdekten dat ik van hen en van hun manier van leven kon houden en tegelijkertijd trouw bleef aan mijn eigen omgeving. Daarom noemden ze me Twee Harten.

Tijdens het feest vertelden verscheidene mensen om beurten hoe prettig het was om Geheimbewaarder in hun midden te hebben en hoe waardevol haar werk was voor iedereen. Ze werd verlegen van trots en nam de loftuitingen op waardige wijze in ontvangst.

Het was een geweldige avond. Voordat ik in slaap viel, zond ik mijn dank op naar de hemel voor deze gedenkwaardige dag. Als ze me de keuze hadden gelaten, zou ik nooit met deze oermensen zijn meegegaan en zou ik nooit kikkervisjes bestellen als die op een menu voorkwamen. Nu kwam ik echter tot de overtuiging dat sommige van onze vakanties wel erg zinloos zijn geworden en dat ik hier een heel prettige tijd doormaakte.

27

Uitgevaagd

Het gebied waar we door trokken was uitgesleten door erosie waardoor ravijnen van meer dan drie meter diep waren ontstaan. Plotseling verduisterde de hemel. Er hingen dikke grijze donderwolken boven ons en we zagen de dreigende beweging in de lucht. Op slechts enkele meters afstand sloeg plotseling de bliksem in de grond. Aan de hemel tekende zich een grillig patroon van lichtflitsen af en iedereen rende weg om dekking te zoeken. Hoewel we ons naar alle kanten verspreidden, leek niemand echt beschutting te kunnen vinden. Er stonden slechts wat struikjes en een paar verspreide armetierige bomen, terwijl op de grond een soort van grove kruipplanten groeiden.

We zagen de wolkbreuk waaruit de regen schuin omlaag striemde. In de verte hoorde ik een geluid alsof er een trein aan kwam denderen. De grond trilde onder mijn voeten en er vielen reusachtige waterdruppels uit de lucht. Het bliksemde onophoudelijk en de donderslagen waren een aanslag op mijn zenuwen. Ik voelde meteen aan de riem om mijn middel. Daaraan hingen een waterzak en een tasje van reptielehuid, dat Geneesvrouw had gevuld met een hoeveelheid van haar grassen, oliën en poeders. Ze had zorgvuldig uitgelegd waarvan ze afkomstig waren en waarvoor ze dienden, maar vol-

gens mij zou het leren van haar behandelmethodes even lang
duren als een zesjarige artsenstudie in de Verenigde Staten.
De knoop zat nog stevig vast.

Boven al het rumoer en de drukte uit hoorde ik nog iets anders, iets heel krachtigs, een agressief geluid dat ik niet
kende. Ooota schreeuwde tegen me: 'Pak een boom! Houd je
stevig aan een boom vast!' Er stond geen boom dichtbij. Toen
ik opkeek, zag ik iets over de woestijngrond aan komen rollen. Het was groot, zwart en tien meter breed en het kwam
heel snel dichterbij. Voor ik het goed en wel besefte, had het
me al bereikt. Water, een stortvloed van kolkend, modderig,
schuimend water spoelde over mijn hoofd. Mijn hele lichaam
draaide en kronkelde in die zondvloed. Ik snakte naar adem.
Mijn handen graaiden om me heen in een poging enig hou-
vast te vinden. Ik wist niet meer wat onder of boven was. Een
dikke modderbrij verstopte mijn oren en mijn lichaam maakte
de ene salto na de andere. Plotseling kwam ik tot stilstand tegen iets stevigs; ik was in een bosje verstrengeld geraakt. Terwijl ik mijn hoofd en nek zover mogelijk strekte, probeerde ik
lucht te krijgen. Mijn longen schreeuwden om zuurstof. Ik
moest inademen, ik had geen keus, zelfs al was ik nog onder
water. Ik was doodsbang en had het gevoel dat ik was overge-
leverd aan krachten die ik niet begreep. Ik bereidde me er al
op voor dat ik zou verdrinken, toen ik opeens lucht binnen
kreeg in plaats van water. Door de modder op mijn gezicht
kon ik mijn ogen niet opendoen. Ik voelde hoe de struik tegen
mijn zij duwde toen het geweld van het water me dwong
steeds dieper te bukken.

Even plotseling als het was begonnen, was het voorbij. De golf
rolde verder en het water dat achterbleef zakte gestadig. Ik
voelde dikke regendruppels en hief mijn gezicht op om de
modder eraf te spoelen. Daarna probeerde ik rechtop te gaan
staan en voelde dat ik naar beneden zakte. Eindelijk lukte het
me om mijn ogen open te doen en toen zag ik dat mijn benen
bijna twee meter boven de grond bungelden. Ik hing halver-

wege de zijwand van de kloof en geleidelijk drongen de stemmen van de anderen tot me door. Omdat ik niet omhoog kon klimmen, liet ik me op de bodem vallen. Mijn knieën vingen de schok op en ik zocht een plek waar ik uit het ravijn kon komen.

Korte tijd later waren we allemaal bij elkaar. Niemand was ernstig gewond geraakt, maar onze vracht slaaphuiden was verdwenen, evenals de riem met zijn kostbare last die ik om mijn middel had gedragen. We bleven in de regen staan en lieten de modder die op onze lichamen vastgekoekt zat, terugvloeien naar Moeder Aarde. Iedereen trok zijn kleren uit en naakt lieten we het zand en de steentjes uit de vouwen en plooien spoelen. Omdat ik mijn haarband ook was kwijtgeraakt, probeerde ik mijn vingers door de klitterige massa op mijn hoofd te halen. Het moet er vreemd hebben uitgezien, want de anderen schoten me te hulp. In de kledingstukken die we op de grond hadden neergelegd, was regenwater blijven staan. Ze beduidden me dat ik moest gaan zitten, waarna ze het water over mijn hoofd goten en de haarslierten met hun vingers uit elkaar trokken. Daarna trokken we onze kleren weer aan. We hoefden alleen het zand er maar af te kloppen, want ze waren snel gedroogd; de warme lucht leek het vocht op te likken. Mijn huid voelde aan als strak gespannen linnen op een schildersezel. Dat moment kozen ze uit om me te vertellen dat de stamleden liever geen kleren dragen tijdens grote hitte, maar dat ze het idee hadden dat ik me daar onbehaaglijk bij zou voelen en dat ze zich daarom aan mij hadden aangepast.

Het vreemdst aan die hele gebeurtenis was dat er maar zo'n korte periode van spanning door ontstond. We waren alles kwijt, maar in minder dan geen tijd liep iedereen weer te lachen. Ik moet toegeven dat ik me beter voelde en er waarschijnlijk ook beter uitzag na het onvrijwillige bad. De storm had me met een schok doen beseffen hoe geweldig het leven was en hoeveel ik ervan hield. Deze confrontatie met de dood had ook mijn overtuiging weggenomen dat er dingen buiten mezelf waren die vreugde of wanhoop teweeg konden brengen. Letterlijk alles, behalve de lappen die we om onze lichamen droegen, was weggespoeld. De kleine geschenken die ik had gekregen en die ik had willen meenemen naar Amerika om ze aan mijn kleinkinderen te geven, waren weg. Er waren twee mogelijkheden om te reageren: ik kon het accepteren of erom jammeren. Was het een eerlijke ruil, mijn enige materiële bezittingen tegen de les in onthechting? De stamleden zeiden dat ik de kleinigheden die nu weg waren misschien had mogen houden, maar dat ik er volgens de Goddelijke Eenheid blijkbaar nog te veel waarde aan hechtte. Had ik nu eindelijk geleerd om genoegen te beleven aan het gevoel en niet aan het voorwerp zelf?

Die avond groeven ze een ondiep gat in de grond. Er werd een vuur in aangelegd en daar gingen enkele stenen in, die gloeiend heet werden. Toen het vuur was uitgedoofd en er alleen nog stenen in het gat lagen, werden er vochtige takjes op gelegd, daarna dikke plantewortels en ten slotte droog gras. De kuil werd afgedekt met zand. We wachtten alsof we een schotel in de oven van een fornuis hadden geschoven. Na ongeveer een uur haalden we de wortels eruit en genoten dankbaar van een heerlijke maaltijd.

Toen ik die avond zonder het comfort van mijn vacht in slaap viel, schoot me het bekende gebed om berusting te binnen: 'God, geef me de berusting om de dingen te accepteren die ik niet kan veranderen, de moed om de dingen te veranderen als ik dat kan en de wijsheid om onderscheid tussen die twee te maken.'

28

Doop

Na de stortregen kwamen de bloemen als uit het niets tevoorschijn. Het landschap veranderde van een kale, lege vlakte in een veelkleurig tapijt. We liepen over bloemen, aten ze en vlochten slingers, die we om ons heen wikkelden. Het was prachtig.

We kwamen dichter bij de kust en lieten de woestijn achter ons. De begroeiing werd met de dag dichter; planten en bomen waren groter en talrijker. Ook was er meer voedsel. We vonden een heel nieuwe verscheidenheid aan zaden, spruiten, noten en wilde vruchten. Een van de mannen maakte een inkeping in een boomstam. We hielden onze nieuwe waterzakken onder de opening en ik zag het water rechtstreeks van de boom in de zak lopen. Voor het eerst kregen we ook de kans om te vissen. De geur van gerookte vis is nog steeds een dankbare herinnering. Er was een grote keuze aan eieren, zowel van vogels als van reptielen.

Op een dag kwamen we bij een prachtig meertje midden in de wildernis. Ze hadden me de hele dag al geplaagd dat me een speciale verrassing te wachten stond. Dat was het zeker. Het water was koel en diep. Het meer was gevormd in een rotsachtig bassin met struiken eromheen, wat de sfeer bood van een oerwoud. Ik was erg enthousiast en dat hadden mijn reisgenoten wel verwacht. Omdat het groot genoeg leek om erin te kunnen zwemmen, vroeg ik daar toestemming voor. Ze zeiden dat ik geduld moest hebben. Of het al dan niet was toegestaan, hing af van de bewoners van dit gebied.

Daarom begon de stam met een ritueel om te vragen het meer te mogen delen. Terwijl ze daarmee bezig waren, begon het wateroppervlak te rimpelen. Het leek in het midden te beginnen en bewoog zich naar de oever tegenover die waar wij stonden. Daar verscheen een lange, platte kop, gevolgd door het ruwe lichaam van een twee meter lange krokodil. Ik had nooit aan krokodillen gedacht. Er verscheen een tweede aan de oppervlakte, waarna ze allebei uit het water kropen en in de bosjes verdwenen. Toen me werd gezegd dat ik kon gaan zwemmen, was mijn aanvankelijke enthousiasme aardig bekoeld.

'Weten jullie zeker dat ze er allemaal uit zijn?' vroeg ik zonder woorden te gebruiken. Hoe konden ze zeker weten dat er maar twee waren? Ze stelden me gerust door een lange tak te nemen en die in het water te steken. Er kwam geen reactie uit de diepte. Er werd iemand op wacht gezet om te waarschuwen als de krokodillen terugkwamen en we gingen zwemmen. Het was verfrissend om in het water rond te spetteren en te drijven. Voor het eerst sinds tijden kon ik mijn rug helemaal ontspannen.

Het mag vreemd klinken, maar het feit dat ik zonder angst in de krokodillenvijver was gedoken, was symbolisch voor een ander soort doop in dit leven. Ik had geen nieuw geloof gevonden, maar wel nieuw vertrouwen.

We bleven niet bij het meer overnachten, maar vervolgden onze tocht. De volgende krokodil die we tegenkwamen, was veel kleiner en benaderde ons op de manier die ik nu wel kende, door zich aan te bieden voor onze avondmaaltijd. Het Echte Volk eet niet graag krokodillevlees, omdat ze geloven dat hij agressief en sluw is. De vibratie van het vlees kan zich vermengen met persoonlijke vibraties en die maken dat het moeilijk wordt om vreedzaam en geweldloos te blijven. We aten gebakken krokodille-eieren die afschuwelijk smaakten. Wanneer je het aan de voorzienigheid overlaat om voor voedsel te zorgen, doe je daar echter niet moeilijk over. Je weet dat het geen kwaad kan, dus je doet gewoon mee, neemt een paar flinke happen en bedankt voor een tweede portie.

Terwijl we langs de stroom voortliepen, zagen we een groot aantal waterslangen. Die werden gevangen en in leven gehouden om 's avonds vers vlees te hebben. Toen ons kamp was opgezet, zag ik een paar mensen de slangen stevig beetpakken en de sissende kop in hun mond steken. Ze hielden de kop tussen hun tanden en met een flinke ruk kwam de dood onmiddellijk en pijnloos. Ik weet dat ze er sterk in geloven dat de Goddelijke Eenheid voor geen enkel levend wezen lijden toestaat, behalve dat wat het schepsel zelf accepteert. Dat geldt zowel voor mensen als voor dieren. Terwijl de slangen gerookt werden, dacht ik glimlachend aan een oude vriend, Dr. Carl Cleveland, die er al jaren bij zijn studenten op hamert heel precieze bewegingen te maken als zij ontzette gewrichten moeten zetten. Ooit, beloofde ik mezelf, zou ik hem deelgenoot maken van de activiteiten van dit moment.

'Geen enkel levend wezen behoort meer te lijden dan voor hemzelf aanvaardbaar is.' Dat was iets om over na te denken. Geestvrouw legde uit dat elke individuele ziel op het hoogste niveau van ons bestaan kan kiezen om te worden geboren in een onvolmaakt lichaam en dat soms ook doet; ze beïnvloeden vaak de levens die ze beroeren. Geestvrouw zei dat stamleden die in het verleden waren vermoord, er voor ze geboren werden voor hadden gekozen hun leven tot het uiterste te vervullen, maar dat ze, op een gegeven moment in de tijd, besloten hadden een deel te vormen van de test van een andere ziel. Als ze werden gedood, was dat met hun eigen toestemming op eeuwigheidsniveau en gaf dat slechts aan hoe goed ze 'eeuwig' begrepen. Het betekende dat de moordenaar had gefaald en in de toekomst opnieuw zou worden getest. Alle ziekten en kwalen hebben naar hun overtuiging een geestelijke achtergrond en dienen als eerste stap naar een hoger doel; als de mutanten zich maar zouden willen openstellen en naar hun lichamen zouden luisteren om te weten te komen wat er plaatsvindt.

Die nacht hoorde ik, zonder iets te kunnen waarnemen in de donkere woestijn, de wereld tot leven komen, en ik besefte dat ik eindelijk mijn angst had overwonnen. Misschien was ik begonnen als een onwillige student uit de stad, maar nu was ik verzoend met dit experiment in de outback, waar alleen aarde, hemel en oeroud leven bestaan, waar prehistorische schilden, slagtanden en klauwen alomtegenwoordig zijn, maar worden beheerd door mensen zonder vrees.

Ik voelde dat ik eindelijk bereid was het leven dat ik blijkbaar had gekozen als mijn erfenis, tegemoet te treden.

29

Vrijgelaten

We hadden geklommen en ons kamp opgeslagen op een veel grotere hoogte dan tevoren. De lucht was fris en helder en ze vertelden me dat, hoewel je hem niet kon zien, de oceaan niet ver weg was.

Het was heel vroeg in de ochtend. De zon was nog niet opgekomen, maar veel stamleden waren al op de been. Ze hadden een vuur gemaakt, wat 's morgens zelden gebeurde. Ik keek omhoog en zag de valk boven me in een boom zitten.

We hielden de gebruikelijke ochtendbijeenkomst, waarna Zwarte Koningszwaan mijn hand pakte en tot vlak bij het vuur liep. Ooota zei dat de Stamoudste een speciale zegening wilde uitspreken. Alle stamleden verzamelden zich om ons heen, zodat ik in een kring van uitgestrekte armen kwam te staan. Ze hielden hun ogen gesloten en hun gezicht opgeheven. Zwarte Koningszwaan riep de hemel aan en Ooota vertaalde voor me:

'Goddelijke Eenheid, we staan hier voor u met een mutant. We hebben met haar gelopen en weten dat ze nog maar een vonk van uw volmaaktheid in zich heeft. We hebben haar aangeraakt en haar veranderd, maar een mutant omvormen is een erg moeilijke taak.

U zult zien dat haar vreemde, bleke huid een meer natuurlijke, bruine kleur heeft gekregen en dat haar witte haar nu weg groeit van haar hoofd, waarop prachtig donker haar wortels heeft gevormd. We zijn er echter niet in geslaagd iets te doen aan de vreemde kleur van haar ogen.

We hebben de mutant veel geleerd en wij hebben van haar geleerd. Het blijkt dat mutanten iets in hun leven hebben dat ze jus noemen. Ze kennen de waarheid, maar die wordt begraven onder een dikke, gekruide laag gemakzucht, materialisme, onzekerheid en angst. Er is ook iets in hun leven dat glazuur heet. Dat schijnt te betekenen dat ze bijna elke seconde van hun bestaan besteden aan het maken van oppervlakkige, kunstmatige, tijdelijke, goed smakende en fraai-uitziende dingen, en dat ze zich slechts sporadisch bezighouden met het ontwikkelen van hun eeuwig leven.

We hebben deze mutant gekozen en we laten haar nu gaan zoals een vogel van de rand van het nest wordt geduwd om weg te vliegen, ver en hoog, en te krijsen als de kookaburra om aan iedereen die het maar horen wil te vertellen dat wij vertrekken.

We oordelen niet over de mutanten. We bidden voor hen en laten hen vrij zoals we zelf ook bidden en vrij zijn. We bidden dat ze hun daden en hun waarden nader zullen beschouwen en dat ze, voor het te laat is, zullen leren dat alle leven één is. We bidden dat ze zullen ophouden de aarde en elkaar te vernietigen. We bidden dat voldoende mutanten de stap zullen nemen om dingen te veranderen.

We bidden dat de wereld van de mutanten onze boodschapper zal willen aanhoren en aanvaarden.

Einde van onze boodschap.'

Geestvrouw nam me een eindje mee en wees, terwijl de zon door de ochtendnevel brak, naar de stad die beneden ons lag. Het was tijd voor me om terug te keren naar de beschaving. Haar gerimpelde bruine gezicht en felle zwarte ogen keken over de rand van de rots. Ze sprak in haar eigen taal terwijl ze naar de stad in de verte wees en ik begreep dat dit het afscheid was – de stam liet me gaan en ik moest mijn leermeesters loslaten. Hoe goed had ik hun lessen begrepen? Alleen de tijd zou het leren. Zou ik me alles kunnen herinneren? Het was grappig, ik maakte me meer zorgen over het doorgeven van hun boodschap dan over mijn terugkeer in de Australische maatschappij.

We liepen naar de groep terug en elk stamlid nam afscheid. We deden wat over de hele wereld wordt gedaan door goede vrienden die afscheid nemen: we omhelsden elkaar. Ooota zei: 'We konden je niets geven wat je niet al had, maar we voelen dat je, ook al hebben we je geen geschenk gegeven, hebt geleerd om van ons te accepteren, te ontvangen en te nemen. Dat is ons geschenk.' Zwarte Koningszwaan nam mijn beide handen. Ik geloof dat er tranen in zijn ogen stonden. In de mijne in ieder geval wel. 'Verlies alsjeblieft nooit je twee harten, vriendin,' zei hij, terwijl Ooota zijn woorden vertaalde. 'Je bent bij ons gekomen met twee open harten. Nu zijn ze gevuld met begrip en gevoel voor onze wereld en die van jou. Je hebt mij ook de gave van een tweede hart geschonken. Ik bezit nu kennis en begrip die alles wat ik me ooit had kunnen voorstellen ver te boven gaan. Ik koester onze vriendschap. Ga in vrede, beschermd door onze gedachten.'

Zijn ogen leken van binnen uit op te lichten toen hij er peinzend aan toevoegde: 'Ooit zullen we elkaar weer ontmoeten, zonder onze hinderlijke menselijke lichamen.'

30

Eind goed al goed?

Terwijl ik wegliep, wist ik dat mijn leven nooit meer zo eenvoudig en vol betekenis zou zijn als deze laatste paar maanden en
dat een deel van me altijd zou wensen dat ik kon terugkeren.
Het kostte me bijna de hele dag om de afstand naar de stad af te
leggen. Ik had er geen idee van hoe ik van deze plaats, waar die
ook mocht zijn, naar mijn huurhuis zou moeten komen. Ik kon
de snelweg zien, maar het leek me geen goed idee om daar-
langs te lopen en daarom bleef ik tussen de struiken. Op een
bepaald moment keek ik achterom en juist toen kwam er een
windvlaag uit het niets. Mijn voetstappen werden als door een
reusachtige bezem uit het zand geveegd. De lei van mijn aanwezigheid in de outback was schoongewist. Mijn begeleider,
de bruine valk, scheerde juist over mijn hoofd toen ik bij de
rand van de stad aankwam.
In de verte liep een oudere man. Hij droeg een spijkerbroek en
een sporthemd met een brede riem, en op zijn hoofd prijkte
een oude, versleten groene hoed. Toen ik dichterbij kwam,
kon er geen lachje af. In plaats daarvan keek hij naar me of hij
zijn ogen niet kon geloven. Gisteren had ik alles wat ik nodig
had: eten, kleren, onderdak, gezondheidszorg, metgezellen,
muziek, ontspanning, steun, familie en veel vrolijk gelach –
alles voor niets. Maar die wereld lag nu achter me. Vandaag

kon ik geen kant op, tenzij ik om geld bedelde. Alles wat nodig was om te leven moest worden gekocht. Ik had geen keus. Op dit moment was ik niet meer dan een vieze, in lompen gehulde bedelares. Ik had zelfs geen tas. Alleen ik wist wie er onder dat uiterlijk van armoede en viezigheid schuilging. Mijn kijk op de thuislozen van deze wereld veranderde radicaal op dat moment.

Op de man aflopend, vroeg ik: 'Kan ik misschien wat kleingeld van u lenen? Ik kom net uit het oerwoud en moet iemand bellen, maar ik heb geen geld. Als u me uw naam en adres geeft, zal ik het u terugbetalen.'

Hij bleef me geruime tijd aanstaren. Toen stak hij zijn rechterhand in zijn zak en haalde er een muntje uit, terwijl hij met zijn linkerhand zijn neus dichtkneep. Ik wist dat ik niet fris rook. Het was twee weken geleden sinds ik een bad zonder zeep had genomen in het krokodillenmeertje. Hij schudde zijn hoofd, niet geïnteresseerd in terugbetaling, en liep daarna vlug weg.

Doelloos liep ik een paar straten door en zag een stel schoolkinderen bij elkaar staan wachten op de bus, die hen naar huis zou brengen. Ze waren het prototype van de Australische schooljeugd: schoongeboend en in uniform, allemaal hetzelfde. Alleen hun schoenen toonden iets van een eigen smaak. Ze staarden naar mijn blote voeten, die nu meer op hoeven leken dan op fraaie vrouwelijke lichaamsdelen. Ik wist dat ik er vreselijk uitzag en hoopte alleen dat ik hen niet zou afschrikken door de weinige kleding die ik droeg en door mijn haar dat in geen drie maanden een kam had gezien. De huid van mijn gezicht, schouders en armen was zo vaak verveld, dat ik geen sproeten meer had, alleen rode plekken. Bovendien was me al duidelijk gemaakt dat ik, grof uitgedrukt, stonk!

'Neem me niet kwalijk,' zei ik, 'ik kom net uit de woestijn. Kunnen jullie me zeggen waar ik een telefoon kan vinden? En weet iemand misschien waar het telegraafkantoor is?'

Hun reactie was geruststellend. Ze waren niet bang, maar begonnen alleen te giechelen. Mijn Amerikaanse accent droeg verder bij tot de algemeen gangbare Australische opvatting: alle Amerikanen zijn gek.

Twee blokken verder bleek een telefooncel te staan. Ik belde naar kantoor, vroeg hun om telegrafisch geld over te maken en ze gaven me het adres van het telegraafkantoor. Toen ik daar aankwam, kon ik aan de gezichten van de employés zien dat hun gezegd was uit te kijken naar iemand die er heel ongewoon uitzag. Het meisje achter de balie gaf me met tegenzin het geld, zonder om een legitimatie te vragen. Toen ik het stapeltje bankbiljetten had opgepakt, bespoot ze mij en de balie met een soort lysol uit een spuitbus.

Met het geld in de hand nam ik een taxi naar een groot warenhuis en kocht daar een lange broek, een blouse, rubber sandalen, shampoo, een haarborstel, tandpasta, een tandenborstel en haarspeldjes. De taxichauffeur stopte bij een markt, waar ik een plastic zak volstouwde met vers fruit en zes kartonnen pakken vruchtesap in verschillende smaken. Daarna reed hij me naar een motel en wachtte of ik erin mocht. We hadden ons beiden afgevraagd of ze me binnen zouden laten, maar het geld in mijn hand bleek zwaarder te wegen dan mijn twijfelachtige uiterlijk. Ik liep dankbaar naar de badkuip en draaide de kraan open. Terwijl het bad volliep, belde ik met de luchtvaartmaatschappij en reserveerde een vlucht voor de volgende dag. De volgende drie uur bracht ik door in bad. Terwijl ik lag te weken, dacht ik na over de afgelopen jaren en in het bijzonder over de laatste paar maanden.

De volgende dag stapte ik in het vliegtuig, mijn gezicht schoongeboend, mijn haren lelijk maar schoon, hobbelend op de sandalen, die ik had moeten bijsnijden omdat ze nauwelijks aan mijn misvormde voeten pasten, maar ik rook heerlijk! Ik had er niet aan gedacht om kleren met zakken te kopen, en daarom had ik mijn geld tussen mijn blouse gestopt.

De huisbewaarster was blij dat ze me zag. Ik had gelijk, ze had toen ik weg was, een regeling getroffen met de verhuurders.

Geen probleem, ik hoefde alleen de achterstallige huur te betalen. De buitengewoon vriendelijke winkelier bij wie ik vlak voor ik wegging een televisietoestel en een videorecorder had gehuurd, had niet eens een aanmaning gestuurd of zijn spullen teruggehaald. Ook hij was blij me weer te zien. Hij wist dat ik niet zou weggaan zonder de apparaten terug te brengen en de rekening te betalen. Het project waaraan ik gewerkt had, was blijven liggen tot ik ermee zou doorgaan. De collega's waren ongerust geweest, maar maakten nu grapjes en vroegen of ik het leuker had gevonden om naar de opaalmijnen te gaan dan op kantoor te zitten. Ik hoorde dat de eigenaar van de jeep had afgesproken dat hij, als Ooota en ik niet terugkwamen, de woestijn in zou gaan om zijn voertuig op te halen en daarna mijn werkgevers zou inlichten. Hij had hun verteld dat ik was vertrokken voor een walkabout, wat zoveel betekende als reizen naar een onbekende bestemming en in het tempo van de aboriginals. Ze hadden geen andere keuze dan dat te accepteren. Niemand anders kon het project afmaken, en daarom lag het nog steeds op me te wachten.

Ik belde mijn dochter op. Ze was opgelucht en enthousiast toen ik vertelde wat er allemaal was gebeurd, maar bekende dat ze nooit echt ongerust was geweest over mijn verdwijning. Als ik in ernstige moeilijkheden was geraakt, zou ze dat wel hebben gevoeld. Daarna maakte ik de stapel brieven open en kwam tot de ontdekking dat ik door mijn familie was geschrapt van de verzendlijst voor kerstkaarten. Er bestonden geen excuses voor het feit dat ik geen kerstcadeautjes had gestuurd!

Het duurde geruime tijd voor ik met behulp van puimsteen en lotion mijn voeten weer zover had dat ik kousen en schoenen kon dragen. Er moest zelfs een elektrisch mes aan te pas komen om het dode weefsel weg te snijden.

Ik was dankbaar voor de gewoonste dingen, zoals het scheermes dat de haargroei in mijn oksels verwijderde, de matras die me beschermde tegen minuscule indringers, of een rol toiletpapier. Telkens en telkens weer probeerde ik mensen te vertellen over de stamleden van wie ik was gaan houden. Ik probeerde uit te leggen hoe ze leefden, waaraan ze waarde hechtten en vooral probeerde ik de boodschap over te brengen waarin ze hun bezorgdheid uitspraken over onze planeet. Wanneer ik iets in de krant las over de ernst van de schade die aan het milieu werd toegebracht en de voorspellingen dat de groene, weelderige vegetatie zou verschroeien tot er niets meer van over was, wist ik dat ze gelijk hadden: de stam van het Echte Volk moest vertrekken. Ze konden nu al nauwelijks leven van het beschikbare voedsel, laat staan wanneer er in de toekomst stralingseffecten zouden optreden. Ze hadden gelijk, mensen kunnen geen zuurstof maken. Dat kunnen alleen de bomen en de planten. Om hun woorden te gebruiken: 'Wij vernietigen de ziel van de aarde.' Onze technische hebzucht heeft enorme onkunde aan het licht gebracht die een serieuze bedreiging vormt voor al wat leeft, onkunde die alleen kan worden teruggedraaid door eerbied voor de natuur. Het Echte Volk heeft het recht verworven om hun ras niet te laten voortbestaan op deze toch al overbevolkte planeet. Sinds de oertijd zijn zij waarheidslievende, eerlijke, vreedzame mensen gebleven die nooit hebben getwijfeld aan hun verbondenheid met het heelal. Maar wat ik niet kon begrijpen was dat niemand met wie ik hierover sprak, belangstelling had voor de waarden van het Echte Volk. Ik besefte dat proberen het onbekende te bevatten, aan te nemen wat er anders uitziet, bedreigend is. Ik trachtte uit te leggen dat het ons bewustzijn kon verruimen, dat het onze sociale problemen zou kunnen oplossen, dat het zelfs ziekten zou kunnen genezen. Het was aan dovemansoren gezegd. De Australiërs namen een afwerende houding aan. Zelfs Geoff, die destijds voorzichtig over trouwen had gesproken, kon de mogelijkheid dat aboriginals wijsheid bezaten niet aanvaarden. Hij zei dat het geweldig was dat ik een avontuur had beleefd zoals dat maar eens in je leven voorkomt, en dat hij hoopte dat ik me nu ergens zou vestigen en de rol van huisvrouw zou spelen zoals dat van me werd verwacht.

Ten slotte vertrok ik uit Australië. Mijn project voor de gezondheidszorg was afgerond, maar mijn verhaal over het Echte Volk was onverteld gebleven. Het begon erop te lijken dat ik de volgende etappe van mijn levensreis niet onder controle had, maar dat ik werd voortgestuwd door een hogere macht.

In het vliegtuig waarmee ik naar de Verenigde Staten terugkeerde, begon de man die naast me zat een gesprek. Het was een zakenman van middelbare leeftijd met een buikje dat op springen stond. We praatten over van alles en nog wat en ten slotte kwam het gesprek op de Australische aboriginals. Ik vertelde hem over mijn ervaringen in de outback. Hij luisterde aandachtig, maar zijn commentaar leek een samenvatting van de reacties die ik tot dusver had gekregen. 'Och,' zei hij, 'niemand wist zelfs maar van het bestaan van deze mensen af, dus als ze weggaan, wat zou dat? Eerlijk gezegd geloof ik niet dat het iemand een lor kan schelen. Trouwens,' voegde hij eraan toe, 'het zijn hun denkbeelden tegen de onze, en kan een hele samenleving het dan bij het verkeerde eind hebben?'

Wekenlang lagen mijn gedachten over het geweldige Echte Volk, keurig verpakt en verzegeld, diep in mijn hart en achter mijn lippen. Deze mensen hadden mijn leven zo intens geraakt, maar mijn verhaal daarover leek mij vanwege de negatieve reactie die ik vreesde te zullen krijgen, bijna 'paarlen voor de zwijnen werpen.' Geleidelijk begon ik echter tot de overtuiging te komen dat mijn oude vrienden werkelijk geïnteresseerd waren. Sommigen vroegen me zelfs of ik lezingen wilde houden. De reactie was altijd dezelfde: de toehoorders zaten geboeid te luisteren en beseften dat wat gebeurd is niet kan worden tenietgedaan, maar wel veranderd.

Het is waar, het Echte Volk gaat weg, maar ze laten hun boodschap achter, zelfs voor ons, met onze jus-en-glazuur-levenshouding en -opvattingen. We willen de stamleden niet overhalen om te blijven, om weer kinderen te krijgen. Daar hebben we niets mee te maken. Waar wij ons voor zouden moeten inzetten, is hun vreedzame, waardevolle ideeën om te zetten in een praktische toepassing. Ik weet nu dat we allemaal twee levens hebben: een leven waarin we leren en een leven waarin we daarna voortleven. De tijd is gekomen om te luisteren naar het angstige gekreun van onze broeders en zusters en dat van de pijn lijdende aarde zelf. Misschien zou de toekomst van de wereld in betere handen zijn als we niet steeds op zoek gingen naar nieuwe dingen, maar ons concentreerden op het terugvinden van ons verleden.

De oerbewoners hebben geen kritiek op onze moderne uitvindingen. Ze respecteren het feit dat het leven van de mens een ervaring is van uitdrukking, creativiteit en avontuur. Ze geloven echter dat mutanten bij het zoeken naar kennis de zin moeten inlassen: 'als het van het grootste belang is voor alle leven, overal.' Ze hopen dat we onze materiële bezittingen zullen herwaarderen en dienovereenkomstig aanpassen. Ze geloven ook dat de mensheid er dichterbij is dan ooit om in paradijselijke staat te leven. We beschikken over de technologie om ieder wezen in deze wereld te voeden en over de kennis om te voorzien in middelen tot zelfexpressie, eigenwaarde, bescherming en nog veel meer, aan alle mensen, overal, als we het maar willen.

Aangemoedigd en gesteund door mijn kinderen en enkele goede vrienden begon ik mijn ervaringen in de outback op te schrijven en ik hield voordrachten waar ik maar werd uitgenodigd: voor verenigingen, gevangenissen, kerken en scholen. De reacties waren gemengd. De Ku-Klux-Klan noemde me een vijand; een andere pro-blanke organisatie in Idaho plakte racistische boodschappen op alle auto's op het parkeerterrein van het gebouw waar ik sprak. Enkele uiterst conservatieve christenen zeiden na het aanhoren van mijn lezing dat ze de mensen in de outback beschouwen als heidenen die bestemd zijn voor de hel. Vier medewerkers van een bekend actualiteitenprogramma op de Australische televisie vlogen naar de Verenigde Staten, verstopten zich tijdens een lezing in een kast en probeerden mijn woorden te verdraaien. Ze wisten zeker dat er geen aboriginals in de wildernis leefden die aan de volkstelling waren ontsnapt en noemden me een oplichtster. Er trad echter een soort van evenwicht op. Tegenover elk onplezierig commentaar was er wel iemand die meer wilde weten over telepathie, hoe wapens konden worden vervangen door illusies en over de levensstijl van het Echte Volk.

Wanneer me wordt gevraagd hoe deze ervaring mijn leven heeft beïnvloed, is mijn antwoord: diepgaand. Kort nadat ik terug was in de Verenigde Staten overleed mijn vader. Ik zat bij hem, hield zijn hand vast, liet voelen dat ik van hem hield en hem steunde op zijn weg. De dag na de begrafenis vroeg ik mijn stiefmoeder om een aandenken aan hem: een manchetknoop, een das, een oude hoed, wat dan ook. Ze weigerde. 'Voor jou is er niets,' zei ze. In plaats van er met bitterheid op te reageren, zoals ik dat vroeger zou hebben gedaan, zegende ik in gedachten de ziel van mijn lieve vader en verliet voor de laatste keer mijn ouderlijk huis, trots op mijn eigen bestaan. Ik keek op naar de helderblauwe hemel en knipoogde tegen mijn vader.

Nu geloof ik dat er geen les voor me in zou hebben gescholen als mijn stiefmoeder vriendelijk had gezegd: 'Natuurlijk. Dit huis is vol spullen van je ouders. Kies maar een herinnering aan je vader uit.' Dat had ik verwacht. Toen me werd ontzegd waar ik recht op had, herkende ik de tweeslachtigheid. De leden van het Echte Volk zeiden me dat de enige manier om voor een proef te slagen, is die proef af te leggen. Ik ben nu op een punt in mijn leven gekomen waarop ik een gelegenheid kan herkennen om een geestelijke test af te leggen, zelfs in een zeer negatieve situatie. Ik weet nu het verschil tussen observeren wat er gebeurt en er een oordeel over vellen. Ik heb geleerd dat werkelijk alles een gelegenheid biedt tot geestelijke verrijking.

Kort geleden wilde iemand die een van mijn lezingen had bijgewoond, me in contact brengen met een man uit Hollywood.

Het was januari in Missouri, een koude nacht met sneeuw. We gingen eten en ik praatte urenlang, terwijl Roger en de andere gasten aten en koffie dronken. De volgende ochtend belde hij me op om de mogelijkheden van het maken van een film te bespreken.

'Waar was je gisteravond gebleven?' vroeg hij. 'We hadden de rekening betaald, onze jassen gepakt en namen afscheid, toen iemand plotseling opmerkte dat je was verdwenen. We keken buiten rond, maar je was gewoon weg; er waren niet eens voetafdrukken in de sneeuw!'

'Ja,' antwoordde ik. Het antwoord vormde zich in mijn gedachten als een zin die in pas gestort beton wordt geschreven. 'Ik ben van plan om de rest van mijn leven de dingen te gebruiken die ik in de outback heb geleerd. Zelfs de magie van de illusie.'

Ik, Burnam Burnam, een Australische aboriginal van de Wu-
rundjeri-stam, verklaar hierbij dat ik elk woord heb gelezen
van het boek *Australië op blote voeten*.

Het is het eerste boek dat ik ooit van de eerste tot de laatste
bladzijde heb gelezen zonder op te houden. Ik heb dat met
groot enthousiasme en veel respect gedaan. Het is klassiek en
het vertrouwen dat door ons Echte Volk aan de auteur is geschonken, wordt er nergens in geschonden. Het is een juiste
weergave van onze opvattingen en ons esoterisch inzicht op
een manier die me buitengewoon trots maakt op mijn afstam-
ming.

Door de wereld deelgenoot te maken van uw ervaringen hebt u
een historische misvatting rechtgezet. In de zeventiende eeuw
heeft de Engelse ontdekkingsreiziger William Dampier ons
beschreven als 'het primitiefste, armzaligste volk op deze
aarde'. Het boek brengt ons op een hoger bewustzijnsniveau
en laat ons zien als het trotse, majestueuze volk dat we zijn.

Brief van Burnam Burnam, stamoudste van de Wurundjeri

Lees ook van A.W. Bruna Uitgevers B.V.

James Hall

Sangoma

Het intrigerende relaas van de eerste blanke die na een zware opleiding wordt ingewijd als traditionele Afrikaanse genezer.

Niets had de Amerikaanse schrijver James Hall voorbereid op zo'n onverwachte wending in zijn leven. Tijdens een interview met de bekende Afrikaanse zangeres Miriam Makeba vertelt deze hem dat hij zeldzame gaven bezit. Op haar aanraden bezoekt hij een sangoma, een traditionele Afrikaanse genezer, die ziet dat een aantal vooroudergeesten bezit van hem hebben genomen. Als hij bereid is het risico te nemen, verkrijgt hij via deze geesten het vermogen mensen te genezen en kan hij zelf sangoma worden. James Hall besluit de sprong te wagen. Hij breekt met zijn verleden en gaat een volkomen onbekende toekomst tegemoet. Tijdens zijn twee jaar durende opleiding in Swaziland krijgt hij het zowel geestelijk als lichamelijk zwaar te verduren. Zijn zekerheden verdwijnen als sneeuw voor de zon en herhaaldelijk moet hij zijn beeld van de werkelijkheid bijstellen. Hall leert betekenis en berichten te lezen in een verzameling speciale botten en andere voorwerpen en hij wordt onderwezen in traditionele medicijnen, die hij zelf leert maken van planten en wortels. Als eerste niet-Afrikaan wordt hij ingewijd in een magische kennis die gedurende vele generaties is opgebouwd.

Met *Sangoma* heeft Hall een openhartig en schitterend boek geschreven over een unieke ervaring, die hem heeft gevoerd van een comfortabel, voorspelbaar leven in Los Angeles naar een ruig en moeizaam bestaan in Swaziland. Zijn verhaal getuigt van moed en overlevingskunst, van totale overgave en de kracht van humor, van vriendschap en liefde. Hij beschrijft het leven als een evenwicht tussen mens en natuur, tussen sterfelijk en onsterfelijk, tussen lichaam en geest.
Sangoma combineert de opwinding van een spannend avonturenboek met de wijsheid die voortkomt uit een diep doorvoelde ervaring en eeuwenoude kennis. James Hall heeft zijn ervaring als moderne westerling èn traditionele medicijnman verweven tot een tijdloos en adembenemend boek.

ISBN 90 229 8240 8

Lees ook van A.W. Bruna Uitgevers B.V.

Betty J. Eadie

Geleid door het licht

Op eenendertigjarige leeftijd heeft Betty Eadie, een jonge moeder die juist een lichte operatie heeft ondergaan, een aangrijpende ervaring die slechts weinigen kunnen navertellen: ze overlijdt in haar ziekenhuisbed. De medische wetenschap staat voor een raadsel wanneer Betty enige uren later toch weer ontwaakt.

Het grote geheim van haar reis naar de 'overkant' deelt ze aanvankelijk met slechts één persoon: haar echtgenoot Joe. Betty vertelt hem hoe ze aan de andere kant is ontvangen en rondgeleid door wezens van licht, die haar geruststelden en onderwezen in de redenen waarom wij mensen op aarde zijn. Al haar vragen over leven en dood worden tijdens haar verblijf beantwoord. Betty leert zo veel in die korte tijd, dat ze sindsdien altijd een raadsvrouw voor zoekenden en ongelukkigen is gebleven.

Pas jaren later heeft Betty zich laten overhalen haar ervaringen aan de 'overkant' met meer mensen te delen. Het resultaat is dit boek, waarin ze vertelt wat van haar belevenissen in woorden kan worden gevat. Haar relaas is van een verbijsterende eenvoud en oprechtheid. Het vormt het definitieve bewijs dat er leven is aan de andere kant van de dood, zoals gerespecteerde onderzoekers van verschijnselen aan 'gene zijde' dr. Raymond Moody en dr. Melvin Morse al jarenlang hebben gesteld.

Betty Eadie is een gerenommeerde hypnotherapeute, moeder van acht kinderen en grootmoeder van acht kleinkinderen. Haar uitzonderlijke ervaringen hebben geleid tot televisieoptredens in de Verenigde Staten en Japan, en talloze lezingen over bijna-dood-ervaringen.

ISBN 90 229 8197 5